D0511227

Tessa et Lomfor

Le Rivage des Gobelins

EMMANUEL VIAU

Tessa et Lomfor

Le Rivage des Gobelins

Éditions Fleurus - 15/27, rue Moussorgski - 75018 Paris

C'est une plage et elle est là depuis le début des temps. Une plage immense qui s'étale à perte de vue.

Vers le nord et vers le sud, effleurée par le soleil levant, elle s'étire à l'infini en un long ruban de sable ocre.

Vers l'est, en face de la mer, juste derrière la barrière des hautes dunes, poussent quelques pins. Ils sont vieux, tordus. Ils jettent leurs branches au ras du sol, comme des pieuvres surgissant des sables, pour ne pas être emportés par les tempêtes venues de l'Océan.

On ne voit que des pins, du sable et de l'eau. À part les crabes et les oiseaux marins, personne n'a jamais foulé cette plage.

Jusqu'à aujourd'hui.

Chapitre 1

Un fier guerrier et une grande joie ■ Une nouvelle terre et de sombres souvenirs ■ Une adolescente renfrognée et un beau discours

L'homme était immense, avec des bras larges comme des cuisses et des cuisses grosses comme cinq bras. Son regard était sombre malgré le sourire qui illuminait son visage. Abîmé par le vent, le sel, le soleil et d'autres blessures, plus secrètes, c'était un visage dur et fort qui imposait le respect.

Le guerrier jeta un œil sur ses compagnons qui se tenaient à ses côtés dans la barque, soudainement intimidés par la sévérité de la grande plage.

– Bon, j'y vais. Il faut savoir, dit-il d'une voix profonde.

Il sauta hors de l'embarcation et se retrouva avec de l'eau jusqu'au ventre. Après quelques instants de lutte contre les courants qui le repoussaient vers le large, il prit pied maladroitement sur le sable. Il fit deux ou trois pas hésitants et se tourna vers le nord, puis vers le sud.

L'homme prenait son temps, comme s'il dégustait chaque centimètre carré du paysage. Enfin, il entreprit de gravir la dune. Ce fut malaisé ; plusieurs fois, il glissa et retomba. Il finit l'escalade à quatre pattes, les bras enfoncés jusqu'aux coudes dans le sable. Une fois là-haut, tournant le dos à la mer, le guerrier s'assit sur l'une des branches d'un arbre-pieuvre et ne bougea plus.

Dans la barque, quelqu'un lança :

– Alors ? Qu'est-ce qu'il fait ? On peut y aller ?

Ôk, le vieux dragon aux sourcils broussailleux et aux rides creusées, imposa le silence :

– Chut ! Laissons-lui le temps. Un moment comme cela, ça se…

– Regardez, il nous fait signe !

L'homme s'était retourné vers ses compagnons. Il leva les bras haut vers le ciel. Les étranges petits signes tatoués au-dessus de ses coudes et qui couraient sur son torse et sa nuque se déployèrent en même temps, comme doués de vie. Le géant cria des mots qu'ils ne comprirent pas.

– Lomfor ! appela Ôk. Qu'y a-t-il là-bas ? Pouvons-nous débarquer ?

Lomfor, l'immense barbare, descendit de la crête en quelques enjambées. Lorsqu'il parvint à la barque, il riait :

– Ce n'est pas une île. On est arrivés. On est enfin arrivés !

Il y eut un moment de silence incrédule.

Puis, brusquement, les hommes et les autres créatures du canot laissèrent éclater leur joie. Criant, chantant, ils se jetèrent à l'eau et s'éclaboussèrent mutuellement. Le vieux dragon, resté seul dans l'embarcation, tenta de dominer le tumulte.

– Mes amis ! Mes amis ! Grande est notre joie, mais il nous faut prévenir ceux du bat...

Une formidable détonation retentit alors dans le ciel. Au-dessus de leur tête, une fantastique gerbe de lumière s'épanouit, retombant en cascades sonores poussées par la brise.

– C'est Larania, s'écria Ôk, hilare. Ô belle magicienne, lance tes feux ! Célèbre ce moment, car ce jour restera pour nous celui de la fin de notre errance. Qu'il soit désormais appelé « Jour de l'Arrivée », qu'il soit notre nouveau Jour de l'An. Terre ! Terre ! Nous avons trouvé une terre !

Et il plongea dans l'eau sous les yeux de ses compagnons stupéfaits, qui ne l'avaient jamais vu dans cet état.

Le vent venu de la mer apporta enfin les vivats de ceux qui attendaient sur le navire endommagé, ancré à quelques centaines de mètres de la plage.

Ôk, Lomfor et Larania, assis au sommet de la grande dune, contemplaient le paysage qui s'étendait au-delà : une forêt sans fin de pins noyés dans une mer de sable blanc. Une maigre végétation broussailleuse tentait de survivre à l'ombre des arbres. Tandis que le soleil montait dans le ciel, une brume de chaleur s'éleva du sol, avalant progressivement la forêt dans son manteau opaque. L'absence de vent, de tout mouvement dans le ciel et sous les arbres rendait le spectacle dur et austère. Pourtant, les trois compagnons paraissaient se délecter de cette vue.

– Tous ces arbres ! Toute… cette terre ! J'ai du mal à imaginer que cela puisse être à nous.

La réverbération força Lomfor à placer ses mains en visière au-dessus de ses yeux.

– Après tout ce que nous avons enduré, quelle récompense !

– Une récompense, crois-tu, mon ami ? fit Ôk en guise de réponse.

Dans leur esprit défilèrent alors les images des deux dernières années écoulées.

Leur ville – leur pays tout entier ! – envahie et détruite par les Hommes d'Argent, les champs ravagés, les forêts et les villages incendiés, les massacres... Et tandis que la défaite s'annonçait, la fuite précipitée vers les navires.

Ôk se souvint de la panique lors de l'embarquement. Les familles furent séparées malgré elles au milieu du chaos ; les hurlements des enfants se mêlaient aux appels désespérés des hommes, qui luttaient à mort jusque dans le port pour retarder l'avancée implacable des ennemis.

Dans les cris et la confusion, la tempête était survenue : un orage terrible et surnaturel invoqué par les sorciers des Hommes d'Argent. En quelques instants, la tornade réussit à noyer la bataille. Sur la mer, elle finit par disperser et couler les rares bateaux qui avaient appareillé.

Lorsque le calme revint, *L'Ustripe*, le cinqmâts de Ôk et de ses compagnons, restait seul, ses voiles déchirées flottant piteusement audessus de l'eau. Une douce et cruelle brise de terre amena à leurs narines les fumées de mort qui planaient sur les ruines. Elle les éloigna des rives dévastées avant qu'ils n'aient pu vérifier si d'autres, comme eux, avaient survécu au cataclysme.

C'est là qu'avait commencé leur Grande Traversée. Deux ans d'une navigation pénible et hasardeuse au cours desquels ils avaient croisé quelques petites îles inhospitalières qui suffisaient à peine à les ravitailler. Quant à s'y établir... Pendant deux années, ils avaient ainsi erré au gré des courants, des vents et des tempêtes dans l'espoir, un jour, d'aborder une terre d'accueil. Après trois jours et deux nuits de cabotage le long de cette nouvelle plage, ce moment semblait enfin venu.

Ôk le dragon brisa le silence qui s'était installé :

– Tu parles de récompense... Mmmh. Lomfor, mon ami, je le répète, aujourd'hui est un heureux jour. Nous avons enfin découvert une terre, bien plus vaste apparemment qu'une île. Je me suis enflammé moi aussi tout à l'heure. Mais je dis qu'il est encore trop tôt pour savoir si tout cela peut être à nous comme tu l'affirmes. Sommes-nous seuls ici ?

– Mais l'aigle Penston a survolé la forêt et..., protesta Lomfor.

Le dragon le coupa :

– Certes, quelques instants et après ? Qu'a-t-il vu ? Un tel espace ne peut être inhabité. Qui vit là ? Il est probable que nous ne soyons pas les bienvenus.

Ôk fit une pause et reprit :

– Quoi qu'il en soit, il est trop tard pour revenir en arrière. *L'Ustripe* est à bout de course. C'est *ici* que nous devrons nous établir. Avant cela, nous allons explorer, trouver un emplacement pour construire un village.

Il désigna l'horizon devant lui…

– Car pour l'instant, je ne vois rien de très hospitalier en ces lieux. Juste des pins et du sable.

– Il nous faut un point d'eau, intervint Larania, la magicienne, et des terres cultivables pour nos récoltes, des pâturages pour les bêtes, de la pierre pour nos maisons…

– D'accord, d'accord, j'ai compris. On n'est pas au bout de nos peines, grommela Lomfor.

À ce moment, des éclats de voix suraigus retentirent derrière eux, sur la plage. Lomfor leva les yeux au ciel.

– Et voilà, fin de la tranquillité. C'est reparti comme sur le bateau.

– Notre délicieuse et insupportable Enethen vient enfin de poser le pied à terre, sourit Larania.

Imitée par ses compagnons, la magicienne s'allongea sur le ventre pour assister à la scène.

Plusieurs chaloupes effectuaient des allers et retours entre le navire ancré dans la baie et le rivage. Les passagers débarquaient tout ce qui avait survécu à leur voyage : des caisses et des tonneaux principalement, quelques bêtes d'une maigreur effrayante, des armes...

Échouée sur la grève, l'une des chaloupes était au centre d'une vive discussion. Dans la frêle embarcation, une jeune femme de belle allure, vêtue de somptueux habits prévus pour tout sauf pour un débarquement, s'agitait en hurlant des ordres. Courbant l'échine sous ses cris, des hommes s'occupaient à déposer à terre ses propres affaires : huit malles de vêtements, un meuble de toilette et plusieurs sacs dont Lomfor soupçonnait qu'ils étaient remplis d'accessoires féminins.

C'était Enethen, la Haute Comtesse. Sans doute la plus jolie femme de l'équipée, avec un visage et un regard ensorcelants pour qui n'avait pas le cœur bien accroché. Peu d'hommes pouvaient prétendre ne pas avoir été amoureux d'elle. Elle les avait tous éconduits, sans manières ou alors par la plus forte. Enethen était noble, fière, insolente et, pour ceux qui ne succombaient pas à son charme – Lomfor était de ceux-là –, sèche de cœur, méprisante et vaniteuse.

Pour le moment, la comtesse appelait un certain Brunhof. Elle tenait dans ses bras Mimou Ier, un chien minuscule dont tout le monde avait appris à fuir le caractère. Un peu plus loin, le dénommé Brunhof, un chevalier de haute stature, revêtu d'une cotte de mailles malgré la chaleur, accourait.

– J'arrive, ma Dame, ne bougez plus !

Sur la dune, Larania secoua la tête :

– Nous avons là de bien beaux seigneurs, vraiment ! Mais quelle bêtise, quelle bêtise !

– De qui parles-tu ? De la ravissante Enethen ? Ou de son malheureux et vain amoureux ? s'esclaffa Ôk.

– L'un ne sauve pas l'autre, hélas. Je pensais pourtant que nos malheurs les auraient fait mûrir…

– Qui va nous sortir de cette horrible barque, Mimou et moi ? Il n'aime pas l'eau et il est hors de question que je me mouille les pieds ! Je refuse de marcher sur cette plage et d'avoir plein de sable dans mes chaussures !

Les hurlements d'Enethen finirent par agacer sérieusement Lomfor.

– Ça suffit maintenant. Je m'en occupe !

Il se releva et dévala la dune. Bousculant le chevalier qui cherchait un moyen de rejoindre la comtesse sans trop remplir d'eau son armure, le guerrier sauta dans la barque. Celle-ci s'affaissa dangereusement sous le poids du colosse. Les cris d'Enethen montèrent un peu plus dans les aigus.

— Aaaah ! espèce de gros... gros abruti, tu es trop lourd, tu vas nous faire couler ! Brunhof ! Agissez ! Sortez-moi de cette situation ridicule, je vous en prie !

Dans ses bras, Mimou Ier émettait de misérables jappements de colère à l'adresse de Lomfor.

— J'arrive... ma Dame...

Alourdi par l'eau qui s'immisçait dans sa cotte de mailles, Brunhof peinait à se hisser à bord.

— Ne craignez rien, Haute Comtesse, je vais vous aider, dit Lomfor avec un grand sourire.

Il tendit le bras, saisit Mimou Ier par le cou et le balança sans ménagement sur la plage. S'écrasant sur le sable, l'affreuse bestiole redoubla d'aboiements furieux.

— Aaaaah ! Lomfor ! Meurtrier ! Sauvage ! Je t'ai vu ! Je t'ai vu ! Mon chien ! À moi ! Ce barbare sanguinaire est...

Lomfor sauta hors du bateau. La chaloupe se redressa brusquement et la comtesse, hurlant, perdit l'équilibre et tomba à l'eau.

Après bien des efforts, il ne resta bientôt plus rien sur *L'Ustripe*. Il avait été dépouillé de ses cordages et de ses voilures. Ne sachant pas ce que l'avenir leur réservait, les Exilés veillaient à ne laisser aucun bien de côté. Vers la fin de l'après-midi, alors que l'on finissait d'évacuer toutes les affaires de l'autre côté des dunes pour y dresser un campement provisoire, Lomfor vint trouver Ôk.

– As-tu aperçu Tessa ? Je ne l'ai pas vue de la journée.

Le vieux dragon hocha la tête.

– Moi non plus. Je ne crois pas qu'elle ait aidé au débarquement.

Il soupira.

– Je m'inquiète. Elle va de plus en plus mal. Maintenant que tu me le dis, je ne me souviens pas l'avoir croisée ces derniers jours. Elle doit encore être enfermée dans sa cabine.

Une jeune Elfe qui passait près d'eux intervint :

– Oui, la princesse Tessa est dans sa cabine. Je l'ai entendue ce matin crier sur ceux qui lui demandaient de sortir. Elle veut qu'on la laisse tranquille.

Lomfor fronça les sourcils.

– Mais il fallait me prévenir… Bon, j'y vais !

Ôk le retint :

– Vas-y doucement, mon ami. Tessa n'est pas Enethen !

Lomfor acquiesça :

– Je le sais bien. Et c'est dommage, ce serait tellement plus simple !

Il ne fallut que quelques coups de rame au guerrier pour atteindre le navire. Sur le pont du cinq-mâts, il resta un moment désorienté. Combien de nuits et de jours y avait-il passé à scruter l'horizon, à tenter d'apercevoir un morceau de terre ? Lui, comme les autres, connaissait le moindre recoin du bateau. Jusqu'à la quille qu'il avait dû réparer en haute mer après qu'ils eurent heurté un cachalocéros.

Aujourd'hui, quasi désossé, *L'Ustripe* était d'une tristesse absolue. Lomfor réalisa à quel point il y était attaché. Après tout, c'était sa maison, leur maison, et ils l'abandonnaient là comme ça, sans plus de cérémonie, en ne lui laissant que les murs et le toit. Le barbare haussa les épaules et courut au château arrière, jusqu'à la porte de la cabine de Tessa. Il frappa.

– Tessa, c'est moi, Lomfor !

Pas de réponse.

– Tessa, ouvre !

Il tambourina contre la porte.

– Si tu n'ouvres pas, j'enfonce la po…

La petite voix de Tessa s'éleva alors.

– Laisse-moi tranquille, Lomfor. Je ne veux pas être dérangée. Si tu entres, je me tue !

Le guerrier fut frappé par le ton désespéré de son amie.

– Mais ne veux-tu pas sortir ? Nous avons enfin trouvé une…

– NON !

Lomfor perçut des reniflements derrière la cloison. Il eut le cœur serré de savoir la jeune fille en train de pleurer seule dans son coin.

– Je ne veux pas d'une nouvelle terre. Je ne veux pas quitter le bateau. Je… je suis bien ici. C'est tout ce qui me reste de… de ma vie d'avant.

Elle éclata en sanglots.

– Pourquoi m'avez-vous emmenée ? Pourquoi ne pas m'avoir laissée là-bas, avec mes parents ?

– Mais euh… tu sais bien que, euh… tes parents sont morts.

Lomfor se mordit les lèvres. Il était très embarrassé. C'était un guerrier, lui. Son rôle, c'étaient le combat, le travail physique, la stratégie, la course, la chasse. Il regretta que Larania ne l'ait pas accompagné. La magicienne aurait sans doute trouvé les mots. Que dire à une adolescente qui avait vu ses parents se faire massacrer ?

— Si tu étais restée, les Hommes d'Argent t'auraient tuée, toi aussi, fit-il en mettant toute la douceur dont il était capable dans sa voix.

Tessa explosa de rage.

— Eh bien, tant mieux ! Comme ça, je n'aurais pas eu à supporter ce voyage idiot, ce sale Océan et vous tous qui...

L'oreille collée à la porte, Lomfor sursauta en entendant un grand bruit, comme si l'on balançait une chaise contre un mur.

— Va-t'en, Lomfor ! Et demande aux autres de ne plus s'approcher d'ici. Ne montez pas sur ce bateau. Va-t'en ! Va-t'en !

Et les sanglots redoublèrent.

Lomfor s'éloigna doucement. Il murmura :

— Je reviendrai, Tessa, tous les jours. Tant que tu ne seras pas sortie de cette cabine, je ne partirai pas.

Lomfor le barbare regagna tristement le rivage, tandis que l'obscurité tombait sur l'Océan. Il rejoignit ses compagnons qui étaient en train de préparer du feu pour le repas du soir. Les flammes s'élevèrent paisiblement pendant qu'une bonne odeur de résine se répandait. Assis sur le sable, Lomfor fit le compte rendu de son entrevue avec la jeune fille. Ôk jura et Larania hocha gravement la tête.

– Elle s'enfonce. J'ai cru un moment, lors de la traversée, qu'elle irait mieux. C'était avec les dauphins, vous vous souvenez ? Quel dommage qu'ils ne nous aient pas suivis jusqu'au bout. Elle est retombée dans sa dépression lorsqu'ils ont disparu. Et c'est pire aujourd'hui.

– Tu ne veux pas essayer ta magie ? demanda Lomfor, d'un ton peu assuré car il connaissait la réponse. En outre, il n'avait guère confiance en la magie, même quand elle était manipulée par Larania.

– Je t'ai déjà répondu non. Certes, je pourrais la guérir, lui lancer un sort de Calme ou d'Oubli. Mais ce serait artificiel. Les blessures seraient toujours là au fond de son esprit et elles finiraient par trouver un autre moyen pour s'échapper. Non, elle doit guérir seule. Nous ne pouvons que l'aider.

– Tu as bien fait de ne pas entrer, Lomfor, intervint Ôk. Il faut la laisser se calmer. Elle finira par sortir d'elle-même. Et là, il sera encore temps de la raisonner.

– Le temps, le temps, grommela Penston, le grand aigle. Nous n'en avons pas tant que cela, du temps.

– Pff, moi, je pense que nous devrions partir, lança Enethen d'un air hautain.

Elle s'était enfin décidée à s'habiller avec de simples vêtements de voyage.

– Croyez-moi, j'ai l'habitude des enfants récalcitrants. Lorsqu'elle verra que nous ne l'attendons pas, elle nous courra après !

La comtesse fit mine de ne pas entendre les murmures de réprobation autour d'elle. L'aigle poursuivit :

– Nous ne pouvons rester ici trop longtemps. Que décides-tu, Ôk ?

Le dragon se redressa en s'étirant :

– Patience, mes amis ! Nous n'avons pas encore passé une journée à terre que vous souhaitez déjà aller plus loin. Je dis donc : patience.

Conscient des regards interrogateurs de ses compagnons, il se dirigea, songeur, jusqu'au bord de l'eau. La fraîcheur venue des vagues lointaines, celles qui hantaient l'horizon, n'avait pas encore atteint la plage, chauffée à blanc pendant la journée. Les deux Lunes, la Fine et l'Onde, flottaient comme deux yeux dans le ciel pur et leurs reflets ondulaient paresseusement sur la mer.

– Comme on est bien ici, murmura Ôk.

Son regard se tourna vers la plage et il sourit en voyant les feux de camp. De l'autre côté des dunes, on avait dressé des tentes avec la toile des voiles du navire. « Tout ce qui reste de notre peuple est là, pensa-t-il. Une petite centaine d'Elfes, de Nains, d'hommes, de femmes et d'enfants. Oubliés de tous, échoués sur une terre inconnue. Et pourtant, Lomfor a raison, une autre vie nous attend ici, je le sens. Oui, je le sens ! »

Il revint à grands pas vers sa compagnie.

– Mes amis ! s'écria-t-il d'une voix forte, et ceux qui commençaient à s'assoupir sursautèrent. Nous ne partirons pas tant que Tessa n'ira pas mieux. Nous ne pouvons commencer une nouvelle vie en abandonnant l'une des nôtres. Oui, mes amis, car nous avons tous besoin les uns des autres et c'est ensemble que nous vivrons...

– Ça y est, il est reparti dans ses discours, chuchota Penston à l'oreille de Lomfor.

Un doux frémissement parcourut l'Océan.

– De grandes choses nous attendent ici, ne le sentez-vous pas ?

Entraîné par ses propres paroles, le dragon éleva encore la voix. Petit à petit, ceux qui étaient autour des feux les plus éloignés s'approchèrent.

– Nous devons prendre notre destin en main ! Dès demain, j'enverrai des patrouilles à la recherche d'un point d'eau. Et je vous dirai encore une chose, mes amis…

— Et gnagnagni et gnagnagna… soupira Penston.

Ôk jeta un regard de côté :

— Si je t'ennuyais, Penston, mon ami, tu n'hésiterais pas à me le signaler, n'est-ce pas ?

L'aigle, penaud, se mit à picorer le sable d'un air absorbé pour cacher son embarras. Les autres éclatèrent de rire. Ôk poursuivit :

— Jusqu'ici, nous n'étions qu'un pauvre troupeau de navigateurs égarés sans pays. Aujourd'hui, nous avons retrouvé une terre. C'est là que nous nous établirons. Nous ne lui donnerons pas de nom tant que nous n'aurons pas trouvé un lieu où construire notre village. Mais aujourd'hui, nous ne sommes plus des Exilés. Aujourd'hui, nous avons un nouveau nom…

Le dragon ménagea un long silence pour maintenir le suspense. Tandis que la brise parvenait enfin du large par grandes brassées, attisant les feux et projetant des braises dans le ciel, Ôk s'écria :

— … les Voyageurs ! Nous serons désormais les Voyageurs !

Les acclamations des compagnons de Ôk semblèrent s'élever jusqu'aux Lunes du Nouveau Continent.

Assise près du hublot de sa cabine, Tessa écoutait les éclats de voix. Ses pensées se perdaient au-dessus de l'Océan.

Chapitre 2

À l'heure où la nuit devient aussi profonde que l'Océan, Tessa s'éveilla.

Son cœur était sur le point d'éclater. En sueur, la jeune fille rejeta la couverture sale qui la recouvrait et se précipita vers le petit hublot de sa cabine. Là, le visage tourné vers la mer, elle inspira un grand coup. Mais l'air frais espéré ne vint pas. Le ciel s'était voilé sans le moindre souffle de vent pour le dégager. L'obscurité était telle que là-bas, sur sa gauche, elle distinguait à peine la bande plus claire du rivage.

Quel cauchemar ! Ce n'était pas la première fois que ce genre de rêve la hantait pendant son sommeil…

Elle s'approchait en compagnie de Lomfor d'une haute et sinistre tour, près d'un lac aux rivages verdoyants. Alors qu'elle se retournait vers le barbare pour lui parler, le sol se dérobait sous elle, s'ouvrant en un trou sans fond. Une odeur de terre putride montait du gouffre en même temps que des bruits menaçants. Elle se raccrochait frénétiquement aux bords terreux qui s'effritaient sous ses doigts. Malgré les efforts désespérés de son ami pour la rattraper, Tessa finissait par disparaître en hurlant.

C'étaient de terribles images ; la jeune fille frissonnait cependant pour d'autres raisons. À plusieurs reprises, elle avait pu vérifier que ses rêves avaient tendance à se réaliser : l'attaque du palais de ses parents, la grande tempête, la rencontre avec les dauphins et même l'arrivée sur cette nouvelle terre… tout cela, elle l'avait déjà vécu dans ses songes agités. Ceux-ci surgissaient brutalement et repartaient aussi vite, sans raison apparente.

À nouveau, la princesse Tessa se dit qu'elle ferait mieux de rejoindre les autres sur la plage plutôt que de rester seule sur un navire moribond. Elle ne supportait plus l'étroitesse de sa cabine et l'air vicié qu'elle y respirait depuis de longs jours. L'air du dehors l'effrayait pourtant bien plus que l'épave qu'elle imaginait maintenant se remplir de fantômes.

Dehors… dehors, il y avait tous ces gens qu'elle avait vu fuir devant les Hommes d'Argent. La guerre s'était abattue sur Tessa aussi soudainement qu'un orage de printemps surprend les premiers bourgeons de l'année.

L'instant d'avant, elle était une jeune princesse à qui la vie souriait, aimée et respectée, joyeuse mais pas insouciante puisque ses parents la préparaient en vue du jour où elle aurait la charge de son peuple.

L'instant d'avant, elle apprenait, jouait, riait, lisait et n'avait d'autres blessures que les bleus qu'elle récoltait lors de ses combats contre ses maîtres d'armes.

L'instant d'après, Tessa n'était plus qu'une fugitive apeurée, pleurant et hurlant, espérant une seule chose : continuer à vivre.

Entre ces deux moments, elle avait vu des gens mourir, des soldats d'abord, de fiers guerriers qu'elle croyait invincibles. Puis des femmes, des enfants. Enfin, sa propre famille. Son père, sa mère et ses oncles, tous anéantis, balayés par l'impitoyable cruauté des Hommes d'Argent.

Tandis que Lomfor l'enlevait, fuyant vers le port à travers de sombres couloirs souterrains, Tessa comprit le pouvoir de ses songes. Elle n'y avait jamais prêté attention jusqu'ici : certains d'entre eux l'avertissaient d'événements à venir. Cette fois-là, Tessa s'accusa d'avoir failli à sa tâche, d'avoir laissé massacrer le peuple qu'elle devait bientôt gouverner.

Elle avait rêvé de ce drame, quelques mois avant qu'il ne se produise. Tessa avait fini par l'oublier dans un coin secret de sa mémoire, sans en faire part à ses proches. Elle avait abandonné son royaume et ses parents à la merci des Hommes d'Argent, alors qu'elle aurait pu prévenir l'attaque.

Ce sentiment ne la quitta plus pendant tout le temps de leur exil, jusqu'à devenir la seule idée sur laquelle se fixait son esprit, une culpabilité obsédante qui la dévorait chaque jour un peu plus.

Voilà pourquoi la jeune fille refusait d'affronter les regards des survivants. Ils ne le savaient pas, mais leur princesse se tenait pour responsable de leur misérable sort. Les frissons de la nuit s'estompèrent enfin, mais Tessa resta près de son hublot, tentant de percer les ténèbres au-dehors.

La matinée commençait à peine, et déjà la touffeur de l'air sous les pins difformes devenait insupportable.

Lomfor regarda avec envie Penston et ses cousins prendre leur envol ; les dix aigles s'élevèrent avec majesté dans les cieux avant de disparaître au-dessus des cimes, dans le manteau de brume. Ôk leur avait demandé de survoler la région, de repérer les limites de la forêt de sable et de pins. Le guerrier se dit que les oiseaux, outre leur liberté de planer où bon leur semblait, pouvaient aussi profiter de la fraîcheur de l'air, inaccessible à ceux qui restaient à terre. « Enfin, pensa-t-il, moi, j'ai des bras et des mains… et surtout une langue et un palais. Penston peut toujours essayer de goûter au cidrevin ! Ah ! il ne sait pas ce qu'il perd. »

Puis il grimaça.

Du cidrevin ! Depuis combien de temps n'en avait-il pas bu ? Ils étaient quelques-uns parmi les Voyageurs à apprécier la fraîcheur, le goût et, sans aucun doute, les effets du vin de pomme. Lomfor était réputé comme le plus gros buveur de cidrevin de la compagnie : un ou deux tonneaux ne l'effrayaient pas ! Ce qui lui valait généralement des réveils douloureux, une haleine parfumée et une vision plus que trouble… L'homme retourna à ses occupations en se promettant de vider la cave de la première auberge qu'il rencontrerait dans ce nouveau pays, pour peu qu'il y ait des auberges…

Dès son réveil – avant même d'effectuer ses mouvements rituels de combat –, Lomfor était allé porter de la nourriture à Tessa, laissant de la viande séchée et une gourde d'eau fraîche sur le navire. Cette fois encore, la jeune princesse avait repoussé toutes ses tentatives pour engager la conversation.

Revenu depuis sur la grève, il supervisait les préparatifs du voyage qui mènerait sa troupe il ne savait trop où – quoi qu'en dise Ôk. Il organisait et conseillait la vingtaine d'hommes que le dragon lui avait confiés. Mais en réalité, il préférait participer lui-même à ces travaux. Plutôt que de donner des ordres, le puissant barbare coupait du bois, débitant troncs et branches pendant que les autres ponçaient, limaient, assemblaient, fixaient. Il avait convenu avec Ôk que trois chariots étaient à peine suffisants pour transporter leurs réserves de nourriture et les enfants en bas âge. Mais il fallait compter trois chevaux par chariot, et ils ne possédaient pas davantage d'animaux à atteler. Le reste de la compagnie irait donc à pied, en portant sur son dos tout ce qui ne rentrerait pas dans les chariots. Et même ainsi, Lomfor s'en doutait, il faudrait sacrifier la plupart des affaires qu'ils avaient emportées dans leur exil.

Avec le peu de matériel dont ils disposaient, la tâche s'avéra rapidement pénible, surtout lorsque se posa le problème de la fabrication des roues. Les Nains de la troupe se montrèrent de bon conseil, mais sans pierre à polir ni métal à fondre, ils durent s'avouer impuissants. Ils n'avaient à leur disposition que du bois, aussi Lomfor et ses compagnons s'en contentèrent-ils. Il fallait remplacer la qualité par la quantité et produire des roues en grand nombre ; la solidité du bois de pin ne tarderait pas à être mise à rude épreuve, dans un pays – a priori – sauvage et dépourvu de routes.

Plus loin, à l'ombre d'un pin, le barbare vit Larania et Ôk en train de répartir les Voyageurs en petits groupes de travail. Puis, précédée de son habituelle voix crispante, Enethen intervint au milieu des conversations pour se plaindre. Il sembla alors à Lomfor que même leur vieux chef devait se maîtriser pour ne pas perdre son sang-froid.

Il admirait Ôk pour sa capacité à prendre les choses en main, à administrer leur groupe sans jamais élever la voix ni proférer une menace. Avant l'attaque des Hommes d'Argent, il n'était qu'un sage parmi d'autres au Palais Royal, un dragon versé dans l'étude du ciel et des étoiles. Sur le bateau, dans les jours qui avaient suivi la catastrophe, sa logique, son sens de la justice s'étaient imposés très simplement aux yeux de tous. Du jour au lendemain, il était devenu le « chef », son âge et ses décisions lui conférant une autorité que son langage ampoulé et ses discours alambiqués n'altéraient en rien. Et même si ces traits de caractère donnaient lieu à maintes plaisanteries chez les Exilés, il ne leur serait jamais venu à l'esprit de contester les paroles du sage dragon.

Aujourd'hui, c'était lui, habilement secondé par la juste et sévère Larania, qui assumait les responsabilités que Tessa, en tant que fille de souverain, aurait dû exercer. Lomfor en était triste pour la jeune princesse, mais il pressentait qu'elle avait des problèmes plus graves à régler. Avec le dragon et la magicienne, il savait les Voyageurs en sécurité : leur nouvelle vie trouverait rapidement son rythme de croisière. Si toutefois Enethen le leur permettait, car elle continuait pour l'instant à mobiliser toute la patience et l'attention de Ôk et Larania, en se plaignant de façon insistante de la présence d'énormes moustiques hargneux sous sa tente !

Le barbare résista à l'envie de mettre une hache entre les mains de la Haute Comtesse et de la forcer à participer à leur besogne. De tous les Voyageurs, elle était la seule à ne rien faire. Chacun d'eux avait un travail, jusqu'aux enfants à qui l'on avait confié la mission de ramasser des coquillages dans le sable mouillé pour agrémenter les repas.

Le pauvre Brunhof, quant à lui, avait préféré accomplir double tâche afin d'éviter à celle dont il était amoureux de se salir les mains. Depuis le début de la matinée, le noble chevalier, en sueur, courait de droite à gauche, montait une tente, abattait un arbre, le taillait, servait à manger, et cela pendant que la Haute Comtesse déambulait en ennuyant tout le monde avec les problèmes qu'elle s'inventait.

Respirant à fond pour chasser la colère qui le gagnait, Lomfor se concentra sur le tronc du pin qu'il allait abattre. Il ne lui fallut qu'un seul coup de hache.

Penston était sur le point de rebrousser chemin pour annoncer la bonne nouvelle.

Après un vol rapide au-dessus des pins, l'aigle et ses cousins avaient atteint la limite des terres sablonneuses. Un large fleuve aux flots mouvementés traçait en effet une franche démarcation. À proximité du cours d'eau, la température chutait assez nettement. Sur le bord opposé, partant des rives noyées sous les hautes plantes, le sol s'élançait en une vaste plaine d'herbe verte et grasse, et cela jusqu'à l'horizon. Bien plus loin, au-delà des régions de collines aux terres brunes, Penston devinait la présence des montagnes sans les voir. Le rythme et les mouvements du vent, son instinct d'oiseau des sommets le lui disaient : les montagnes étaient loin, très loin mais elles étaient là. Penston frissonna de plaisir : ces étendues de terre semblaient infinies. Il brûlait d'envie de s'élancer jusqu'aux cimes élevées et de contempler ce qui s'étendait derrière elles ! Il poussa un grand cri de joie et ses compagnons l'imitèrent. Ses premiers sentiments étaient confirmés. Ils n'étaient pas sur une île, mais sur un continent ! Ôk avait raison, le destin leur avait enfin souri en les guidant vers cette terre.

L'aigle poursuivit pourtant son vol de reconnaissance. Le dragon lui avait demandé également de rechercher d'éventuelles traces de vie autres qu'animale. Pour l'instant – sur ce point –, Penston était bredouille. Au-dessus de la lande, la brume de chaleur accrochée au faîte des arbres rendait toute vision floue. Il aurait fallu que les aigles volent en rase-mottes sous les branches pour avoir une idée précise de ce qui se trouvait au sol. Une tâche qui s'avérait pour le moment trop périlleuse.

Entièrement concentré sur son vol de surveillance, Penston pensa que si cette pinède n'était pas habitable pour les Voyageurs, elle ne le serait pas plus pour un quelconque autre peuple. Il orienta donc l'essentiel de ses efforts sur l'exploration des alentours du fleuve, en volant aussi bas que la brume le lui permettait afin de bénéficier du meilleur angle de vue.

Le soleil dépassait à peine son zénith lorsque sa patience fut récompensée. Du coin de l'œil, Penston vit Ernston, son plus jeune cousin, un aigle à l'envergure plus petite que la moyenne, se détourner de leur plan de vol et se fixer à l'arrière du groupe. L'aigle se mit à décrire de grands cercles dans les airs. Penston le rejoignit en un battement d'ailes.

– Là, à la lisière, juste sous le couvert des premiers pins. Il y a des gens… commenta Ernston, tout excité. C'est moi qui les ai repérés ! On va les voir ?

Penston compta au moins sept personnes, sans vraiment distinguer qui elles étaient ni combien d'autres se cachaient sous les arbres. Les ailes d'Ernston vibraient d'impatience, mais Penston tenta de réfréner l'ardeur de son cousin.

– Non. Ne restons pas là trop longtemps. Je préférerais qu'ils ne sachent pas que nous les avons aperçus. Simple précaution.

Mais Ernston ne l'avait pas entendu et il amorçait déjà sa descente, à trente mètres sous lui. Penston jura.

– Maudit gamin !

Il fonça en piqué sur Ernston.

– Ernston ! On se tire d'ici !

– Mais pourquoi ? Regarde ! Ce sont des enfants ! Que peuvent-ils nous faire ?

– Il ne s'agit pas de cela ! Ôk a demandé de la discrétion. Et nous voilà en plein dans leur champ de vision.

En bas, la compagnie s'était détachée des arbres et désignait les oiseaux qui planaient au-dessus d'eux. Des enfants ! Ernston avait raison. Ce n'étaient que des gamins. Penston en compta onze, tous vêtus de couleurs vives et franches. Que faisaient-ils là ? Ces gens n'avaient pas l'air hostile – ils semblaient même presque effrayés, comme s'ils fuyaient – lorsqu'une étrange impression envahit son esprit. Ce n'était pas douloureux, plutôt dérangeant, comme si on effleurait ses pensées. Penston eut la désagréable sensation que quelqu'un scrutait l'intérieur de son cerveau. Il battit des ailes violemment.

— Ernston ! Remonte, vite !

Le chef des aigles cria aussitôt et rameuta le reste des rapaces à haute altitude, jusqu'à ce que le sentiment d'être épié disparaisse.

— On retourne sur la plage. Nous avons suffisamment d'informations pour faire exploser de joie notre bon vieil Ôk.

Les aigles filèrent à toute vitesse vers la mer.

Bien au-dessus d'eux, plusieurs ombres menaçantes se détachèrent de l'éclat du soleil dans lequel elles se cachaient. Aussi rapides que les aigles, elles empruntèrent la même direction qu'eux.

L'après-midi touchait à sa fin. Lomfor, tout fier, montrait la structure du premier chariot à Ôk et Larania, lorsque Penston se posa à quelques mètres d'eux. L'aigle décrivit ce qu'il avait vu par-delà la barrière du fleuve. Il leur parla également de la bande d'enfants et de l'étrange contact psychique qu'il avait ressenti à ce moment-là.

Lomfor commença par exulter : un continent habité recelait forcément une ou deux bonnes auberges... Pour Ôk, c'était à la fois une bonne et une mauvaise nouvelle. Il aurait souhaité que les Voyageurs soient prêts à rencontrer des indigènes, qu'ils soient amicaux ou hostiles. Or, à cet instant, ils n'étaient rien d'autre que des réfugiés et la pitié qu'ils risquaient de susciter chez des étrangers, même charitables, ne pouvait que les desservir. Les Voyageurs devaient apparaître pour ce qu'ils étaient vraiment : de fiers pionniers, parés pour l'aventure, et non une horde de gueux fatigués et désordonnés.

– À mon avis, cette rencontre a eu lieu un peu trop tôt, dit le dragon. Es-tu certain, Penston, que c'étaient des enfants ? T'es-tu assuré que vous n'avez pas été suivis ?

Penaud, l'aigle reconnut qu'ils avaient surtout pensé à revenir le plus vite possible.

– Il serait toutefois étonnant que des êtres à deux pattes aient pu nous pister, ajouta-t-il. Pour ceux-là, un tel trajet, qui nous demande à nous autres aigles deux heures de vol, s'étalerait sur trois ou quatre journées de marche.

Ôk resta songeur quelques instants avant de s'adresser à ses trois compagnons :

– Mes amis, il va nous falloir accélérer les choses maintenant. Il se peut que la patrouille de Penston ait été prise pour un simple vol d'oiseaux. D'un autre côté, il est possible que l'on nous sache ici. Surtout si, comme Penston l'affirme, son esprit a été sondé.

Le dragon se tourna vers Lomfor :

– Nous devons être prêts à partir au plus tard après-demain matin, dès le lever du soleil. Si nous n'avons qu'un seul chariot, eh bien, nous n'en aurons qu'un seul. Fais travailler tes hommes par roulement, en leur offrant un minimum de temps de repos. Je voudrais aussi que tu penses à l'organisation du convoi, à ce que nous devons emporter ou laisser ici.

À la magicienne, Ôk dit ceci :

– Larania, je te charge de l'intendance du camp pour ces deux jours. Veille à ce que les plus faibles se reposent car les semaines qui vont suivre seront rudes. Quant à toi, Penston, mon ami, il faut que tu reprennes les airs avec tes aigles. Surveille les environs, que rien n'échappe à votre vigilance. Et ne vous faites plus repérer !

Larania regarda le dragon avec gravité :

– Tu es inquiet, Ôk. Pressens-tu quelque danger ?

Celui-ci hésita :

– Non. Bien sûr que non, je n'ai pas ce talent. Mais après le rapport de Penston, je ne me sens plus du tout en sécurité sur ce rivage. Nous sommes trop vulnérables.

— Et toi, que vas-tu faire, Ôk ? questionna Lomfor.

— Je vais avoir une discussion avec Tessa. Elle doit maintenant nous rejoindre.

Lomfor pensa que Ôk ne s'était pas gardé la tâche la plus aisée. À deux reprises, le barbare était monté sur le navire pour parler avec la jeune fille, qui avait fini par se calmer. Mais son désespoir paraissait sans fond… et elle n'avait toujours pas quitté sa cabine.

Ôk demanda à Lomfor de l'emmener sur *L'Ustripe*. Puis il le renvoya et le dragon resta seul devant la porte de Tessa. Il frappa doucement. Une voix fatiguée s'éleva alors :

— Qui est là ? C'est encore toi, Lomfor ? Je t'ai déjà dit que je ne…

— Non, c'est Ôk. Princesse, je suis venu te prier de te joindre à nous. Cette fois-ci, c'est pour ta propre sécurité…

— Je me moque de ma sécurité ! cria-t-elle.

— Princesse, le temps nous est compté maintenant. Nous partirons à la fin de la prochaine nuit. Nous ne pouvons te laisser seule.

– Si ! Je suis grande, je suis tout à fait capable de m'occuper de moi !

Le vieux dragon soupira et changea de tactique :

– Tu pourras sans doute t'en sortir, mais ton peuple a besoin de toi.

– Ce n'est pas vrai. Tu es là ! Tu es leur chef ! Tu te débrouilles très bien. Moi, je ne sers à rien.

Ôk eut un mouvement de recul. « Non, c'est impossible ! pensa-t-il. Elle ne peut pas croire que j'ai… »

– Tessa ! gronda-t-il, et cette fois, sa voix s'était faite de lave, montant des profondeurs de son être, là où couvait autrefois la chaleur, alors qu'il n'était encore qu'un jeune cracheur de feu. Ne pense pas que j'aie usurpé ton pouvoir. Je n'ai rien exigé. Je ne suis le chef que par défaut. C'est à toi que revient ce titre…

Ôk, le vieux dragon, se mit en colère et les échos de son ire parvinrent jusqu'au rivage :

– Si tu ne t'étais pas dérobée, si tu avais respecté l'enseignement que t'ont dispensé tes parents, si seulement un peu de leur sang coulait dans tes veines, je ne serais pas là à perdre mon temps à parler avec une gamine butée alors que je dois m'occuper d'une centaine de personnes. Je ne serais pas chef et je pourrais continuer à étudier les étoiles qui, soit dit en passant, sont magnifiques de ce côté-ci de la mer.

Il se tut. Derrière la porte, il entendit un petit reniflement.

— Je… je suis désolée, Ôk. Ce n'est pas ce que je voulais dire. Tu es quelqu'un de bien. Lomfor et les autres ont eu raison de te choisir pour les diriger. Moi, je ne peux pas. Je… J'ai commis une faute, Ôk et…

— Quelle faute ? Tout le monde en commet, Tessa. Il ne sert à rien de se morfondre sur les fautes passées. Quelle qu'elle soit, essaie plutôt de la réparer…

— Mais c'est impossible… gémit Tessa. J'ai trop honte.

Ôk insista encore :

— Viens avec moi. Viens et parlons de cela près d'un feu.

Un silence, puis :

— Je suis désolée Ôk, vraiment désolée… Je ne peux pas. Pas ce soir, demain peut-être, je te promets d'essayer.

Vaincu, le dragon leva les bras au ciel.

— Bien. Je respecte ta décision, princesse. Mais demain, pas plus tard. J'enverrai Lomfor te chercher. Au fait, je t'ai apporté de la nourriture. Mange tout, prends des forces, tu en auras besoin.

Il n'y eut pas de réponse. Soudain, une porte claqua, en bas, sur le pont inférieur. Ôk sursauta et se pencha par-dessus la rambarde :

— Qui est là ?

— Euh, c'est moi, Brunhof.

Le chevalier sortit de l'ombre et, à la lueur du soleil couchant, Ôk vit qu'il était couvert d'énormes piqûres de moustiques.

— Que fais-tu là ? Tu écoutais notre conversation ?

— Ah non, pas du tout, c'est Enethen qui m'a envoyé dans sa cabine parce qu'on avait oublié les jouets de Mimou Ier.

Brunhof eut un petit sourire gêné. Ôk préféra ne rien répondre. Il rejoignit le chevalier et s'installa dans la barque.

— Cela tombe bien, je n'avais personne pour me ramener à terre. Si cela ne te dérange pas, c'est toi qui vas ramer. Mes vieux os me font mal.

À la tombée de la nuit, Ôk prononça un bref discours. Il résuma aux Voyageurs ce que Penston lui avait dit plus tôt dans l'après-midi, et tout ce que cela impliquait pour eux.

— Mes amis, restons sur nos gardes. Ces vastes terres sont habitées et nous devons considérer que nous ne sommes pas forcément les bienvenus. Alors je le répète : ouvrez l'œil, hâtez-vous dans les tâches qui vous ont été attribuées, soyez prêts pour notre départ. Rappelez-vous que nous ne sommes pas des naufragés, mais des Voyageurs. Nous ne fuyons plus, nous explorons. Je vous demande donc de la discipline, de l'ordre. Que la curiosité, la bonne humeur, la circonspection et la fierté guident nos pas !

L'auditoire salua ces paroles par une courte acclamation après quoi chacun retourna près de son feu pour le repas du soir. Lomfor vint trouver Ôk.

— Et Tessa ?

— Tu iras la voir demain vers la fin de la matinée et tu la ramèneras, qu'elle le veuille ou non.

Puis le dragon baissa la voix, comme s'il se parlait à lui-même.

— Pourvu que nous soyons prêts à temps. Je ne suis pas tranquille.

Lomfor leva les yeux vers le ciel.

— C'est trop tard, fit-il d'une voix sinistre. Nous sommes découverts.

Une dizaine de grandes formes noires planaient haut au-dessus de leurs têtes.

Chapitre 3

Depuis le milieu de la nuit, la Fine et l'Onde s'amusaient à apparaître et disparaître au gré des nuages qui arrivaient massivement par la mer. Plutôt que de se rafraîchir, l'air se faisait plus lourd.

Dans leur sommeil, les Voyageurs s'agitèrent sans se réveiller, dérangés par la moiteur qui pesait sur eux. Lomfor rêvait de troncs abattus, Ôk de voyages spatiaux, Brunhof s'imaginait dans les bras d'Enethen. Tessa, dans sa cabine, cherchait un repos qui ne venait pas. Seul Mimou Ier ouvrit un œil et émit un bref jappement avant d'être ramené de force auprès de sa maîtresse.

Vint un moment où les Lunes furent occultées par les nuages. Les deux astres terminaient leur phase d'écartement. D'ici une vingtaine de jours, la Fine quitterait le ciel pour visiter l'autre côté de l'horizon. Elle ne serait plus visible avant des mois et l'Onde resterait seule au milieu des étoiles pour servir de guide aux premières grandes pluies de l'automne.

Penston soupira. La saison des deux Lunes était sa préférée. Les lueurs respectives des astres se mélangeaient admirablement et la nuit s'en trouvait magnifiquement éclairée. Perché sur la cime d'un haut et vigoureux pin, l'aigle s'ennuyait. À cent mètres de lui, posé sur la branche d'un autre arbre, Carston veillait lui aussi au repos des Voyageurs. Quatre aigles allaient et venaient au-dessus du camp. Pour l'instant, seuls les nuages menaçaient leur campement, mais le chef des rapaces se forçait à rester vigilant.

Sitôt le cri d'alarme lancé par Lomfor, les oiseaux s'étaient envolés pour approcher les inquiétantes silhouettes, mais celles-ci s'étaient contentées de s'éloigner, en demeurant juste à portée de vue des aigles. Toutes les tentatives pour entrer en contact s'étaient soldées par un échec. C'étaient d'immenses corbeaux noirs, aussi grands que Penston, avec de longs becs recourbés et effilés, une espèce que l'aigle ne connaissait pas. Puis en début de soirée, après quelques croassements ironiques, ils avaient disparu au-dessus de la pinède en direction du nord-est. Depuis ce moment, les rapaces se relayaient pour monter la garde dans les airs. Au sol, les Nains faisaient de même.

Au milieu de la nuit, la princesse Tessa sortit de sa cabine. Dans la pièce exiguë, la moiteur avait dépassé le supportable. En quelques pas hésitants, l'adolescente se dirigea vers le bastingage qui donnait sur le rivage. Les vagues, faibles et allongées, berçaient doucement le navire. L'obscurité masquait totalement la plage, mais le parfum des terres de sable frappa ses narines et elle se sentit un peu mieux. Malgré cela, elle sut que sa résolution, prise juste après le départ de Ôk, commençait à faiblir. Rejoindre ses compagnons, oui, elle le ferait, dès l'aube. Mais après ? Qu'allait-elle leur dire ? S'isolerait-elle dans un coin, comme elle l'avait fait sur le bateau ? Qui irait-elle voir en premier ?

Un petit choc contre la coque, à l'arrière du navire, interrompit le cours de ses réflexions. La princesse se déplaça silencieusement jusqu'au pont supérieur. Un nouveau heurt retentit derrière elle, suivi d'une exclamation étouffée puis d'un bruit d'éclaboussures. Quelqu'un venait de tomber à l'eau.

– Qui... qui est là ? souffla Tessa en se penchant par-dessus bord. Ôk, Lomfor ?

Personne ne répondit et la princesse ne voyait rien. Elle courut sur le pont pour chercher une torche, mais elle dut se rendre à l'évidence.

– Rien ! Ils ont tout pris ! C'est malin.

La jeune fille revint vers le garde-corps. Cette fois-ci, elle surprit des murmures. Ce n'était pas la langue de son peuple ! En bas, contre la coque, il y eut de petits éclairs. Puis une flamme s'éleva le long d'une torche. Éblouie, la princesse eut juste le temps d'apercevoir les reflets d'une épée dentelée et d'un crâne ornant un bouclier. Elle s'accroupit. Un cri rauque éclata de l'autre côté de *L'Ustripe*. L'instant suivant, un grappin manqua d'un cheveu la tête de Tessa. Une multitude de coups sourds résonnèrent alors sur le pont. Le navire était abordé !

Réprimant la panique qui la gagnait, l'adolescente s'éloigna sur la pointe des pieds et se précipita dans sa cabine. Là, elle tira une courte épée de sous son lit. Tessa fit glisser l'épais tissu qui l'enveloppait : l'épée scintilla, la forçant à plisser les yeux. C'était une arme taillée dans un bloc de diamant vif, un présent royal que son père lui avait offert pour ses dix ans. Jusqu'à ce jour, Tessa ne s'en était servie qu'à l'entraînement contre ses maîtres d'armes.

Tremblante, campée sur ses jambes, la princesse attendit.

Rhâakzi, le combattant nain, fut le premier à apercevoir la lueur des torches sur le navire. Il courut jusqu'à l'arbre où se tenait Penston.

– Penston ! Penston ! Bougre de piaf ! Réveille-toi ! chuchota le Nain assez fort.

– Hein ? Quoi ? Que se passe-t-il ?

L'aigle s'était assoupi après avoir confié son tour de garde à l'un de ses cousins.

– Il y a de la lumière sur le pont du navire. Envoie un de tes gars voir ce qui se trame !

– Eh bien quoi, de la lumière ? C'est la princesse…

– Ah oui, vraiment ? Mais qu'as-tu dans la cervelle ? Comment la princesse pourrait-elle allumer une dizaine de torches en même temps ?

– Quoi ? Mais ce n'était pas prévu ! s'exclama Penston à voix haute.

– Chut ! Parle plus bas ! Qu'est-ce qu'on fait maintenant ?

L'aigle recouvra tous ses esprits.

– C'est bon, j'y vais. Toi, tu suis le plan, va retrouver Lomfor !

Penston disparut dans la nuit.

Un craquement sec poussa Rhâakzi à se retourner. Il eut juste le temps d'entrevoir une massue qui lui arrivait en plein visage. Puis il sombra dans l'inconscience. Une ombre enjamba le corps inerte du Nain, suivie de plusieurs autres. Silencieusement, une multitude de silhouettes envahirent le campement. Elles se répartirent autour des feux éteints, prenant place près des Voyageurs endormis. Il y eut des cliquetis d'épées. Des massues, des lances furent brandies au-dessus des couchages. Un cri rauque et bref signala le début de la tuerie. Les armes s'abattirent en sifflant.

Après un moment de doute et d'inquiétude, Sorgûr, le capitaine des Gobelins, se mit à exulter. Sa récente alliance avec les corbeaux du fleuve n'avait pas tardé à se révéler fructueuse. C'étaient eux qui l'avaient prévenu de la présence d'étrangers sur la plage. Sans les corbeaux, les Gobelins seraient passés à quelques kilomètres en ignorant qu'il y avait là une belle réserve d'esclaves qui leur tendait les bras.

Cette excursion sur les rivages du grand Océan n'avait donc pas été vaine : la compagnie d'enfants capturée dans les bois, la caravane de marchands conduite par le druide, des fermiers… En tout, une bonne quarantaine de personnes qui rapporteraient au bas mot trois mille pièces d'or ! Et à présent, cette centaine de femmes et d'enfants, là, à portée de main… Oui, le gouverneur d'Ûrs saurait remercier son fidèle capitaine. Car c'était lui, Sorgûr, qui avait pris l'initiative de ce rapprochement entre Gobelins et corbeaux.

Le plan était simple à mettre en œuvre : dès le signal sur le bateau, ils entraient dans le camp, massacraient les guerriers et récupéraient les femmes et les enfants pour les vendre sur le marché des esclaves, à Ûrs, la cité gobeline. Juste avant de donner le signal, Sorgûr imagina un instant les félicitations de son chef, et la récompense : de l'or et des esclaves, évidemment. Le capitaine jubilait et c'est probablement ce qui expliqua son manque de réaction lorsque ses soldats vinrent lui rapporter que les couchages autour des feux étaient vides. Il sut enfin ce qui le gênait depuis le début : pourquoi ces gens avaient-ils monté des tentes derrière les dunes pour finalement dormir sur la plage ? Quelques instants plus tard, ses guerriers lui apprirent que le second bivouac était lui aussi désert.

Lomfor fut réveillé par l'un des aigles.

– Lomfor ! Il y a des hommes sur *L'Ustripe*… et des mouvements sur la dune.

Autour du barbare, plusieurs Voyageurs s'éveillèrent. Le guerrier sentit son sang se glacer. Il n'avait pas prévu cela. La veille, en réponse aux inquiétudes de leur chef, il avait monté un plan qui, pensait-il, pouvait leur éviter d'être attaqués par surprise en pleine nuit. C'était un pari risqué, mais Ôk et Larania avaient donné leur accord.

Aussi, lorsque la nuit fut noire, les Voyageurs s'étaient-ils séparés en deux groupes, évacuant les tentes et n'emportant que leurs armes. Une fois sur la plage, ils s'étaient ensuite déplacés à une centaine de mètres de part et d'autre des feux qu'ils avaient pris soin d'éteindre. Là, ils s'étaient étendus à même le sable pour tenter de dormir, en espérant que les sentinelles laissées sur place n'aient pas à les réveiller.

Oui, Lomfor avait tout prévu.

Sauf que l'attaque vienne par la mer. Le barbare regarda les allées et venues des torches sur le pont du navire. Il secoua la tête nerveusement. « Pourvu que Tessa reste cachée ! Je ne peux rien faire pour l'instant. » Il s'adressa à l'aigle :

– Réunis tes cousins et surveille *L'Ustripe*. Si Tessa est en danger, foncez dans le tas. Nous, on s'occupe de ceux de la plage.

Là-bas, près des foyers éteints, on distinguait faiblement des mouvements dans l'obscurité. Il y eut un cri bref et des coups résonnèrent tandis que les attaquants frappaient les couchages remplis de sable. Prenant une inspiration, le barbare chuchota :

– Ils ont mordu à l'hameçon. Allons-y !

Il entendit son ordre se répercuter en murmures derrière lui. Il s'avança alors vers le bivouac envahi, suivi par une trentaine de guerriers. Ôk restait sur place avec ceux qui ne pouvaient combattre. Sa hache fermement tenue à deux mains, Lomfor espéra que l'autre groupe des Voyageurs, conduit par Larania et situé à l'exact opposé du campement, était lui aussi en mouvement. Il poussa un grand cri et chargea.

Le regard dirigé vers le navire, Sorgûr en était encore à se demander où étaient passés les Voyageurs lorsqu'un hurlement éclata tout près de lui, sur sa gauche. Il discerna avec peine des ombres qui s'infiltraient parmi ses propres troupes.

– En arrière ! En arrière ! s'exclama-t-il. Nous sommes attaqués ! Reformez les rangs !

Puis il se tut parce qu'une formidable boule de feu explosa dans le ciel, juste au-dessus d'eux, dévoilant l'ampleur du piège dans lequel ils étaient tombés. De chaque côté de la plage arrivait une nombreuse troupe en armes. Ses soldats, pris en tenaille, erraient dans le camp et tournaient la tête à droite et à gauche, sans parvenir à décider quels ennemis affronter.

Sorgûr hurla de rage et ordonna à ses soldats de contrer l'offensive. Puis il vit l'immense guerrier qui conduisait l'une des attaques. C'était un véritable monstre, à demi nu, qui faisait deux ou trois fois sa taille. Sorgûr estima qu'il avait finalement déjà assez d'esclaves. Il jeta ses armes en couinant et s'enfuit, escaladant tant bien que mal la grande dune.

Lomfor laissa éclater sa joie lorsqu'il vit la lumière illuminer le camp. Larania était passée à l'action. Il découvrit alors leurs assaillants, une cinquantaine, de taille moyenne, recouverts d'armures en cuir noir, bardés de boucliers et d'épées, noires elles aussi. Il aperçut quelques visages, plus proches du porc que de l'humain. Pour l'heure, ils reflétaient plutôt le désarroi. Il croisa le regard de l'un des Gobelins, leur chef sans doute vu la taille de son bouclier et la forme de son casque. Lomfor fonça directement sur lui. L'autre gémit et détala vers les dunes.

Les Voyageurs refermèrent les mâchoires de leur piège quasiment sans avoir à combattre. Les quelques Gobelins qui ne s'enfuirent pas furent tués avant de pouvoir porter un seul coup. Lomfor vint à la rencontre de Larania.

– Heureux de te revoir saine et sauve, magicienne !

– Je dois admettre que nous n'avons pas eu à forcer notre talent. Ces gnomes m'ont surtout l'air d'être de beaux lâches ! Ton plan était bon, Lomfor, même si j'avoue avoir pensé au début que tu nous avais juste gâché une nuit de sommeil !

Les deux amis levèrent la tête de conserve lorsqu'un aigle les héla :

– Lomfor ! Le bateau est en feu ! Nous avons besoin d'aide ! Tessa est aux prises avec les Gobelins !

– Enfer, Tessa !

Lomfor saisit Brunhof par le bras et lui demanda de rassembler une dizaine de combattants près des barques, au bord de l'eau. Le chevalier hésita imperceptiblement, cherchant du regard quelqu'un sur la plage. Il finit par acquiescer, à contrecœur. Lomfor confia à

Larania le soin de réorganiser le campement tout en surveillant la fuite des Gobelins. Un peu plus tard, les guerriers voguaient à bord de deux chaloupes.

Là-bas, sur *L'Ustripe*, de grandes flammes s'attaquaient aux mâts.

Après quelques instants de pur effroi, Tessa se reprit. Les assaillants étaient en train d'explorer le navire et elle entendait le choc des portes que l'on ouvrait avec fracas, du fond de la cale jusqu'au pont supérieur. Il lui semblait reconnaître des exclamations de frustration parmi les conversations des envahisseurs.

Sa propre cabine avait une chance d'échapper à l'inspection : elle était bien en retrait, donnant sur le château arrière, en dehors des coursives principales. La princesse se dit qu'au pire, si sa porte était défoncée, elle pourrait se jeter à l'eau par son hublot et nager jusqu'au rivage.

Soudain, il y eut un cri et le cliquetis d'armes tirées hors de leurs fourreaux. Une exclamation rageuse y répondit. Le bruit d'une cavalcade précipitée se rapprocha dangereusement de son abri. Le cœur battant, Tessa colla son oreille contre la paroi pour tenter de discerner l'origine de l'altercation. L'épée qu'elle tenait vint heurter le bois de sa porte. Elle se mordit les lèvres en se maudissant.

Au-dehors, sur le château arrière, une bataille semblait se dérouler. Tintements d'épées, sifflements de flèches et... Penston ! Tessa reconnut les appels désespérés du chef des aigles.

Sans plus réfléchir, elle ouvrit sa porte. Juste devant elle se trouvait un petit être, d'une laideur repoussante, une torche dans une main et un pieu dans l'autre. Elle identifia aussitôt les traits dégénérés d'un Gobelin, l'une de ces créatures mauvaises qui avaient autrefois lutté contre les armées de son grand-père. Le Gobelin s'apprêtait à défoncer la porte, aussi fut-il surpris de la voir s'ouvrir. Sans réfléchir, Tessa leva vivement son épée et l'abattit sur le crâne de l'ennemi. Il s'effondra en contrebas. Sa torche roula sur le sol avant de tomber sur le pont. La jeune fille hoqueta. Elle venait de tuer ! Une boule d'angoisse dans la gorge, Tessa évita de justesse la charge d'un nouvel assaillant. La princesse refoula ses sentiments – « Quand tu te bats, tu ne penses pas : tu te bats », était la phrase rituelle de son instructeur – et para le coup. Elle tentait de garder la tête froide. À son tour, elle fut contrée. Pendant qu'elle luttait, elle aperçut du coin de l'œil Penston et un deuxième aigle, qu'elle n'identifia pas, car la lueur des torches éclairait capricieusement la scène.

Les ailes déployées, les serres tachées de sang, les grands rapaces luttaient contre quatre ou cinq Gobelins. De sa position, Tessa sentait les courants d'air soulevés par les fantastiques mouvements de leurs ailes. Ils semblaient avoir le dessus car les créatures n'avaient pas suffisamment d'allonge pour les frapper.

Soudain, le compagnon de Penston fut tiré vers le haut, comme aspiré par la nuit. Tessa n'eut pas le temps de se demander quelle en était la cause. Elle dut parer une nouvelle estocade. Avec son épée et son autre main, elle repoussa le monstre qui cracha et lui cria quelque chose qu'elle ne comprit pas. Mais visiblement, il fatiguait et la jeune fille montrait plus de technique que lui. Elle fit mine de le viser au cou et tandis qu'il s'abaissait pour éviter l'attaque, elle lui décocha un formidable coup de pied au visage. Le Gobelin chancela, laissant choir son épée. Avant qu'il ne reprenne ses esprits, elle se jeta sur lui et d'une bourrade, le fit basculer par-dessus bord.

– Et de deux !

Pleine d'une joie furieuse, la princesse se dirigea vers le petit groupe harcelé par Penston.

– Penston ! Je suis là ! Tiens bon !

Alors qu'elle se précipitait vers les combattants, elle fut soulevée par les cheveux. Elle ressentit aussitôt une vive douleur au niveau du cuir chevelu. Surprise, elle hurla et, dans un réflexe qui lui sauva la vie, brandit haut son épée par-dessus sa tête.

Touché.

Un croassement guttural répondit à son geste. Relâchée soudainement, elle tomba à terre. Trois grandes plumes noires échouèrent à ses côtés. La princesse leva les yeux. Horrifiée, elle vit les trois immenses corbeaux qui planaient juste au-dessus d'elle, toutes serres tendues. Dans leurs yeux sombres et vides se reflétaient les flammes qui envahissaient le navire, sur les ponts inférieurs.

– Penston ! Penston ! Fuis ! Des corbeaux géants ! hurla-t-elle.

Sans attendre de réponse, elle se releva et courut s'enfermer dans sa cabine. L'instant d'après, la porte se mit à vibrer sous les coups de bec des grands oiseaux noirs. Tessa, éperdue, se dirigea vers son hublot, mais un croassement la fit reculer. Ils surveillaient toutes les issues ! Elle referma violemment le montant en bois de la petite fenêtre.

Les larmes aux yeux, l'adolescente enrageait. Elle était coincée. Et les autres, sur la plage, que faisaient-ils ? La princesse comprit soudain la situation : ils étaient attaqués. Par qui, pourquoi ? Sa vision se troubla. Elle s'essuya les yeux et découvrit du sang sur ses mains. La blessure de son crâne saignait abondamment.

Malgré l'effroyable écho de la porte que l'on déchiquetait, elle distinguait le vacarme du combat de Penston. L'aigle poussait des imprécations comme Tessa n'en avait jamais entendu. Mais les grognements des Gobelins et les sinistres cris des corbeaux dominèrent bientôt. Alors que le tumulte atteignait un point qui finissait par la rendre folle, Tessa sentit la fumée. Un fin serpent de brume s'infiltrait sous la cloison. Il s'élevait lentement dans la cabine en tournant sur lui-même, comme s'il cherchait la princesse. Tessa recula. Le bateau brûlait !

Elle n'avait pas d'autre choix : il fallait sortir et affronter les oiseaux. L'épée de diamant dressée devant elle, la jeune fille traversa la cabine, éparpillant les volutes de fumée. Elle ouvrit la porte. Une onde de chaleur suffocante la fit reculer. Derrière le grand oiseau noir – il était plus haut qu'elle – elle vit le pont en feu. Les plumes du corbeau roussissaient, mais il ne paraissait pas s'en apercevoir. Son terrible bec entrouvert, il se dirigea vers Tessa.

Le mât s'effondra brutalement de l'autre côté du navire, emportant une partie des bastingages et du pont. L'air libre s'engouffra dans la cale, alimentant les flammes qui rongeaient la coque de l'intérieur. Le bateau semblait désert maintenant, entièrement livré au feu. Les craquements du bois emplissaient le silence de la nuit. Pour Lomfor et ses compagnons, c'était un son déchirant, la plainte du dernier lien les unissant à leur ancienne vie qui disparaissait.

De loin, ils avaient vu Penston et un deuxième aigle lutter contre les corbeaux au-dessus du cinq-mâts, à quatre contre un. Ils n'avaient aucune idée du sort des huit rapaces qui les accompagnaient. Un nuage de fumée noire avait soudainement masqué les combattants du ciel. L'instant d'après, il n'y avait plus personne.

Les barques s'approchèrent du navire, par l'arrière, quasiment en dessous du hublot de Tessa. Les Voyageurs appelèrent, mais la jeune fille ne répondit pas. Même à cet endroit, où l'incendie n'avait pas encore pris, la chaleur et la fumée mettaient leurs poumons à rude épreuve. Lomfor lança un grappin. Il lui fallut quelques secondes pour se hisser à bord du vaisseau. Derrière lui, Brunhof et un autre chevalier empruntèrent la même voie. Le barbare découvrit la porte de Tessa ouverte et la cabine vide. Il courut sur le pont du château et aperçut un peu plus loin Tessa à genoux, tenant dans ses bras le corps inerte et effroyablement brûlé de Penston.

Lomfor lâcha une exclamation consternée.

La bataille avait dû faire rage. Il y avait là les corps des Gobelins et des corbeaux. En bas, sur le pont dévoré par les flammes, le guerrier distingua de nombreux cadavres : parmi eux, il reconnut les silhouettes de plusieurs aigles. Tessa sanglotait.

– Il m'a sauvée. Il m'a sauvée…

Des centaines d'étincelles voletaient au hasard, retombant en cascades tourbillonnantes sur le bateau, la mer et les hommes qui se trouvaient là.

Le visage vide d'expression, le barbare tenta d'aider Tessa à se relever. Comme elle s'accrochait à Penston, il dut l'en séparer, sans brutalité mais avec force. Il chargea la jeune fille sur son épaule et retira son épée de diamant qui était plantée jusqu'à la garde dans l'un des corbeaux.

Brunhof et l'autre guerrier emportèrent le corps mutilé du grand aigle. Sans un mot, ils quittèrent le navire, qui n'était plus qu'un cimetière de feu.

Chapitre 4

L'adieu aux aigles ■ La colère de Brunhof ■ Tessa s'accuse ■ La chasse est lancée ■ La fuite de Tessa ■ Une prisonnière de première classe

À l'horizon, le jour pointait, jetant des reflets mauves au sein de la masse compacte de nuages. La faible brise de terre ne parvint pas à rafraîchir les rameurs. Tous étaient noirs de suie.

Tessa, dont les sanglots s'espaçaient, s'était endormie contre Lomfor pendant le bref voyage de retour vers la plage. Lorsqu'ils débarquèrent sur le rivage, le guerrier la déposa délicatement sur une couche près d'un feu que l'on avait ravivé. Il alla ensuite trouver Ôk et lui fit un rapide compte rendu de ce qu'il avait vu sur le navire. Le dragon hocha la tête gravement avant d'ajouter :

– Ce n'est pas tout, Lomfor. Il y a eu une contre-attaque, ici. Les Gobelins possédaient des renforts dans les bois. Nous les avons repoussés, mais…

Il s'interrompit en regardant Brunhof passer à côté de lui, portant Penston dans ses bras.

— Mais… ? reprit Lomfor, impatient.

— Enethen a été enlevée. Du moins, c'est ce que je pense. Tout le monde est là, sain et sauf, en dehors de quelques blessures légères. Elle seule manque à l'appel. J'ai envoyé des gens à sa recherche et depuis nous attendons.

Lomfor réfléchit un moment en se tournant vers Mimou Ier. C'était la première fois qu'il voyait le petit chien silencieux ; il était couché, sa queue battant tristement le sol.

— Elle était avec toi lorsque nous avons été attaqués sur la plage. Que s'est-il passé ?

— Juste après ton départ vers le navire, les Gobelins sont revenus à la charge. Cette fois, il a fallu se battre ferme. Les Nains et les Elfes ont réussi à les chasser vers la forêt. C'est à cet instant que nous nous sommes aperçus que la comtesse avait disparu. La dernière fois que je l'ai vue, elle était à côté des enfants. C'est son chien qui nous a mis la puce à l'oreille, si je puis dire.

Ils se turent.

Un peu plus loin, un concert de lamentations s'éleva. Les autres Voyageurs venaient d'apprendre la mort de Penston et de ses aigles.

D'une voix égale, Lomfor reprit :

– Nous payons notre arrivée ici au prix fort. C'est une chance pourtant que les corbeaux aient été occupés par les aigles. Sur la plage, nous n'aurions rien pu faire contre eux. Hélas pour Penston et ses cousins.

– Et Tessa ? demanda Ôk.

– Elle dort. Je ne sais dans quel état elle se réveillera. Elle a désormais assisté et participé à bien plus d'horreurs que maints soldats n'en verraient en plusieurs vies…

Du bout de sa patte griffue, le dragon tapota l'épaule du guerrier dans un geste de réconfort.

– Allons maintenant. Il y a tant à faire.

Les Voyageurs attachèrent solidement des plumes des grands rapaces à la cime des arbres les plus hauts. Car c'était ainsi que l'on célébrait la mort de ces nobles oiseaux, afin que leur âme poursuive leur vol dans le ciel. Le corps de Penston et ceux de trois autres aigles que la mer avait rejetés furent ensevelis entre les racines profondes des pins. Il y eut un chant, lent, puissant et triste, comme seules les gorges des Nains savent les entonner. Pour ceux dont les dépouilles reposaient au fond de l'eau, il n'y avait plus rien à faire et ce fut d'autant plus cruel pour les compagnons qui pleurèrent amèrement ces disparitions.

Au loin, dans un concert de sifflements et de craquements, le bateau commença à sombrer.

Des larmes coulant encore sur ses joues, Brunhof vint trouver Larania.

– Je ne vois pas Enethen parmi nous. Je sais qu'elle appréciait particulièrement la compagnie des aigles. Sais-tu pourquoi elle n'assiste pas aux funérailles ?

La magicienne regarda le chevalier dans les yeux.

– Nous pensons qu'Enethen a été enlevée par les attaquants de cette nuit.

Le guerrier sembla ne pas comprendre.

– Ne t'inquiète pas Brunhof, poursuivit Larania. Nous allons partir à sa recherche. Lomfor va...

Les traits de l'homme se tendirent d'un coup. Il ouvrit la bouche, comme pour chercher un peu d'air. Puis il dit :

– Vous avez laissé la Haute Comtesse sans défense ! Mais...

Cette fois, c'étaient les mots qui lui manquaient.

– Elle n'était pas sans défense. Mais elle a dû s'éloigner et nous avions fort à faire avec les Gobelins…

Le chevalier se mit dans une colère terrible.

– Ah ! Si j'avais été là ! Si nous avions été là, au lieu de ramer vers le bateau ! J'enrage !

– Calme-toi, mon ami, tu es certes amour…

Brunhof s'écarta vivement de Larania. Ses yeux se plissèrent. Il durcit le ton :

– NON ! Laisse-moi avec tes conseils, magicienne. J'en ai assez de toi et de Ôk. Vous décidez de tout, depuis le début. Et voyez où cela nous a menés !

Les Voyageurs les plus proches d'eux se retournèrent. L'éclat du chevalier, d'un tempérament plutôt placide en temps ordinaire, et le ton déplacé qu'il employait avec Larania accentuèrent encore un peu plus les tragiques événements de la nuit. Des enfants se mirent à pleurer et plusieurs guerriers dégainèrent leurs armes. La magicienne sentit que les choses étaient en train de lui échapper.

– Brunhof, je t'en conjure. Ressaisis-toi !

Elle voulut l'attraper par le bras mais il se dégagea en la repoussant. Il était parti dans une fureur noire que rien ne paraissait plus pouvoir arrêter. Le doigt tendu vers Larania, il hurla :

– C'est de TA faute !

Puis se tournant vers Ôk qui s'approchait de lui :

— Et de la tienne aussi. Je ne t'écouterai plus. Tout est de ta faute, à toi le dragon. Qui es-tu pour jouer au sage ? Toi, le savant, qui n'en sais pas plus sur les étoiles que sur les hommes !

L'assistance était pétrifiée. Personne, non, personne n'avait jamais prononcé de telles paroles. Dans le pays d'où les Voyageurs avaient été chassés, ces accusations méritaient l'exil ou la mort...

Une voix claire s'éleva alors dans le dos de Brunhof.

— Non, Brunhof. Tout est ma faute.

Derrière le guerrier se tenait, blême, le visage couvert de sang et de suie, la princesse Tessa.

— Si tu dois blâmer quelqu'un, c'est moi.

Le visage de Brunhof s'empourpra plus encore. Le poing serré, il s'approcha de l'adolescente. Elle lut la folie qui habitait les yeux de l'homme mais ne recula pas.

— Toi, toi ! Si tu étais descendue comme nous tous sur le rivage, nous n'aurions pas eu à nous séparer. Tu ruminais tes malheurs en petite égoïste. Et nous ? As-tu seulement pensé à nous ? Nous avons tous vécu la même chose. Oui, si tu ne t'étais pas terrée sur le bateau, les aigles seraient encore vivants et j'aurais pu veiller sur Enethen.

Il leva la main.

– Je devrais te…

Lomfor, qui venait d'arriver, se rua sur Brunhof. Larania fut plus rapide encore.

– Brunhof ! Que ta langue se taise !

La voix de la magicienne claqua, sèche et profonde. Les Voyageurs eurent l'impression qu'elle leur avait parlé dans le creux de l'oreille. L'air trembla comme sous l'effet d'une détonation. Quand la désagréable sensation disparut, Brunhof resta figé dans son mouvement. Les yeux révulsés, le visage défiguré par la rage, la main à quelques centimètres de la tête de Tessa, il ressemblait à une statue de démon.

La princesse marcha jusqu'à la magicienne.

– Tu n'aurais pas dû, Larania. Il avait raison. Je méritais son courroux.

Puis elle se tourna vers les Voyageurs, encore sous le choc de ce qui s'était passé. Elle haussa le ton pour que tous l'entendent :

– Brunhof avait raison en ce qui me concerne. Je ne suis pas digne de votre confiance. Je ne mérite pas la vie que m'ont donnée ces valeureux guerriers.

Au fur et à mesure que Tessa parlait, elle sentait des larmes de honte, de colère et de chagrin lui monter aux yeux. Elle tenta de raffermir sa voix mais ne parvint qu'à perdre le fil de sa pensée. Son cœur se mit à battre très vite.

– Je... je ne peux pas être à votre tête. Vous devez faire confiance à Ôk et Larania, et à Lomfor, oui, toi, mon fier ami. Moi...

Elle reprit sa respiration mais ne réussit qu'à s'étouffer dans ses sanglots.

– Moi, je ne suis qu'une petite fille et je ne veux plus rien avoir à faire avec tout cela.

Livide, elle s'effondra sur le sol.

Tessa fut emmenée sous une tente et confiée aux soins de Larania. On transporta le chevalier statufié sous un autre abri.

– Que va-t-il devenir ? demanda Lomfor à Larania.

– Oh, il va se dégeler d'ici une heure, sourit la magicienne. Tel que je le connais, quand il se rappellera ses paroles, il suppliera Ôk de le mettre à mort. Pauvre Brunhof...

Le dragon répondit négativement à tous ceux qui lui réclamaient de punir sévèrement le chevalier.

– Mes amis, croyez-moi, le châtiment qu'il se choisirait serait bien pire que tout ce que je peux imaginer. Je refuse de me poser en juge. Je laisse ce soin à Tessa, lorsqu'elle aussi aura recouvré ses esprits.

Visiblement épuisé, il soupira :

– Pour l'instant, avant même de penser à nous lancer à la poursuite des ravisseurs d'Enethen, nous devons nous reposer.

Lomfor s'avança :

– Je ne suis pas fatigué, Ôk, je peux les pourchasser, avant qu'ils ne soient trop loin.

Ôk fut intraitable :

– Non, mon ami. Personne, pas même toi, n'est en état de le faire. Il nous faut dormir quelques heures. Ensuite tu choisiras une vingtaine d'hommes qui partiront avec toi dans l'après-midi… Nous ne pouvons rien faire de plus pour le moment.

Lomfor allait répondre, mais il se ravisa et fit comme Ôk le lui avait demandé.

Tessa se réveilla au son des gouttes de pluie, en fin d'après-midi. Elles tombaient, lourdes et espacées, sur la toile de la tente. Elle regarda autour d'elle : il y avait là plusieurs couches et une quantité d'affaires, de nourriture et d'armes. Au-dehors, elle entendit des bruits de conversation. Elle passa la tête hors de son abri.

Lomfor et plusieurs hommes s'équipaient pour la traque pendant que Ôk leur faisait ses dernières recommandations. Tessa farfouilla dans la tente, découvrit son épée et un arc. Elle s'en saisit et rejoignit le petit groupe.

– Je pars avec vous, dit-elle en ceignant sa taille de sa ceinture.

Lomfor hésita et consulta Ôk du regard. Celui-ci fut formel :

– Non, Tessa. Tu es exténuée et les chasseurs doivent aller vite. Sans vouloir te froisser, tu ne ferais que les retarder. Tu seras bien plus utile ici.

Lomfor s'approcha d'elle, s'accroupissant jusqu'à ce que leurs deux visages se retrouvent à la même hauteur.

– J'aurais aimé que tu te joignes à nous. Mais Ôk a raison. Depuis le drame de cette nuit…

Le barbare baissa les yeux.

– … Tu ne te vois pas, tu tiens à peine debout !

Tessa voulait les accompagner. Elle croyait se sentir mieux, maintenant qu'elle avait pris un peu de repos. Larania l'avait soignée en lui jetant un sort d'Apaisement, propre à effacer la fatigue du corps et le désarroi de l'esprit. Malgré cela, elle était encore faible et les blessures secrètes au fond de son cœur restaient à vif. Elle ne se voyait pas lutter contre les assauts conjugués du dragon et du guerrier. Elle dit simplement :

– Bien, je comprends. Et comment va Brunhof ?

Lomfor se mordit les lèvres avant de répondre.

– Il... il est parti sur les traces des Gobelins. C'est ce que nous pensons, puisqu'il n'a prévenu personne.

– Tout seul ?

– Tout seul. C'est aussi pour cela que nous devons lancer la traque sur-le-champ. J'ai peur qu'il... enfin, bon, tu sais...

– Allez-y donc, j'attendrai ici, fit-elle doucement.

Lomfor lui donna une petite tape amicale sur l'épaule avant de crier le signal du départ. Tessa les regarda s'enfoncer sous le couvert des arbres, une vingtaine de chevaliers, de Nains et d'Elfes, guidés par un barbare qui les dépassait tous de deux têtes. C'était là la seule troupe que Ôk pouvait se permettre de lancer à la poursuite des Gobelins. Le campement ne devait pas être laissé sans combattants. La jeune fille rentra dans sa tente et attendit que chacun retourne à ses occupations.

Le dragon vint la voir.

– Tout va bien, Ôk. Je vais me reposer. Demain matin, je serai d'attaque pour vous aider.

Elle avait honte de mentir ainsi au vieux chef. Car sa décision était prise. Elle suivrait les guerriers. Ôk la salua et se retira, non sans lui avoir jeté un regard indéchiffrable. Elle s'étendit un instant sur sa couche. Puis elle se releva. Elle chercha une feuille et un crayon et écrivit quelques mots à l'attention de Ôk et de Larania.

Tout ce qui arrive est de ma faute.
Je dois réparer ce que j'ai fait.
Comprenez-moi.

Elle barra la dernière phrase, mordilla nerveusement le crayon avant d'ajouter :

Au cas où les choses se passeraient mal, je sais les Voyageurs entre de bonnes mains. Ôk, protège ceux que je n'ai pas su défendre.

Et Tessa signa simplement de son nom, sans y adjoindre son titre.

La princesse s'empara d'un sac à bandou-
lière, y déposa une gourde d'eau et de la
viande séchée. Dans l'une des malles qui appar-
tenaient à la magicienne, elle prit aussi deux
fioles dont elle connaissait les pouvoirs. L'une
contenait une potion qui lui permettrait de
surmonter sa propre fatigue, lorsque celle-ci
l'empêcherait de mettre un pied devant
l'autre, la deuxième un onguent qui soignait
les blessures légères.

La jeune fille s'assura que les alentours de sa
tente étaient déserts. Elle sourit : tout le
monde vaquait à de multiples tâches à l'autre
bout du campement ou sur la plage. Elle sortit
rapidement de son abri et s'engagea à son tour
entre les troncs de la forêt de pins.

Ici, les arbres du bord de mer, noueux et
tordus, forcés par le vent à raser le sol comme
des serpents, avaient quasiment disparu. À leur
place, les pins de la grande forêt dressaient
fièrement leur tête à une hauteur impression-
nante et leurs branches ployaient sous le poids
des grasses aiguilles vertes et blanches. Sous
ses pieds, Tessa sentit le contact moelleux des

aiguilles et sourit, surprise par la douceur de l'air sous l'ombre bienfaisante des pins.

L'adolescente marchait rapidement, sachant très bien que, même ainsi, elle ne parviendrait nullement à égaler le pas vigoureux des guerriers. Ceux-ci seraient sur les Gobelins – et sur Brunhof – bien avant qu'elle ne les rejoigne. Elle ignorait ce qu'elle ferait alors. Elle se doutait qu'en cas de bataille, son adresse et son épée ne seraient pas d'un immense secours pour Lomfor et ses puissants compagnons.

La jeune fille avait cependant le sentiment profond qu'elle devait être là pour participer à la libération d'Enethen. C'étaient probablement l'amour fou et la perte de sa bien-aimée qui avaient conduit Brunhof au pire des comportements. Tessa voulait le retrouver, le réconforter et lui pardonner, quelle qu'ait été la dureté des mots qu'il avait employés. Pour cela, il fallait que le chevalier sache que la princesse était partie à sa recherche et non restée simplement au camp à attendre qu'on le ramène. L'adolescente n'osait se l'avouer, mais il y avait aussi une part de honte dans son départ. Après ce qui s'était passé, elle aurait encore moins supporté les regards de ses compagnons, tandis que d'autres réparaient les torts qu'elle avait causés...

Tout en ruminant ses pensées, Tessa suivait les traces des guerriers, qui eux-mêmes s'étaient fiés aux empreintes des hideux Gobelins. Ce n'était guère difficile. Un enfant aurait pu pister ce chemin : le sable était un véritable cahier sur lequel s'inscrivait chaque événement. Or les Gobelins progressaient sans précaution, écrasant les jeunes pousses d'arbres, griffant les troncs et saccageant les buissons. La princesse aperçut aussi bon nombre d'ordures abandonnées là, à même le sol.

L'obscurité commençait à s'accentuer sous les arbres, bien que la lumière soit encore suffisante pour que Tessa garde ses repères : la piste s'enfonçait tout droit à travers les troncs en direction du sud-est. Un souffle léger mais puissant inclina les frondaisons des pins et la forêt se mit à retentir de craquements secs. L'instant suivant, de grosses gouttes dispersées atteignirent Tessa. L'adolescente frissonna malgré elle lorsqu'un sourd et lointain grondement de tonnerre résonna par-delà les arbres, au-dessus de la mer.

Elle était pourtant presque joyeuse. Enfin, elle se sentait active ! Ces longs mois passés à bord du navire avaient engourdi tous ses sens, ainsi que son moral. Ici, les fragrances de la forêt la pénétraient, la saoulaient tant que les larmes lui montaient aux yeux. L'air iodé de la mer ne parvenait plus jusqu'à elle. Réveillés par l'averse, le sol et les arbres délivraient dans l'air des parfums de mousse, de sève, d'aiguilles de pins et de terre mélangés. Ivre, Tessa s'arrêta, rejeta sa tête en arrière et ouvrit la bouche comme si elle voulait boire la pluie et mordre à pleines dents ces effluves.

Puis l'averse passa, le vent retomba et la forêt se prépara à entrer dans la nuit. Rassérénée jusque dans son cœur, Tessa reprit son chemin d'un pas ferme et assuré, les yeux rivés au sol. Elle chantonnait.

Le Gobelin sortit précipitamment de la cage en bois. Il s'était fait fort de mater la prisonnière mais, comme deux autres avant lui, il n'avait pas tenu, submergé par une tempête de cris, de menaces et d'injures. Vexé par les railleries de ses congénères, il brandit son épée et s'apprêta à pénétrer de nouveau dans la geôle, afin de faire payer ses insultes à la captive. Un sergent intervint alors :

– Toi, là ! Tu n'as pas compris ce qu'a dit le chef ? On ne touche pas à la marchandise…

– Mais elle n'arrête pas de hurler ! Les gars sont sur les nerfs ! Si au moins on l'endormait. Pourquoi on ne la donnerait pas à l'Autre, hein ? Ça ferait un beau spectacle, non ?

Le sergent, un Gobelin dont les yeux verts louchaient sournoisement, tira à demi son épée.

– Limace puante ! Tu as quoi dans la tête ? C'est une noble. À elle seule, elle vaut le prix de tous les prisonniers. Elle va faire notre fortune sur le marché. Alors, tu la laisses tranquille. C'est valable pour chacun d'entre vous, ici. À partir de maintenant, celui qui entre dans cette cage, je lui tranche le cou ! Quant à toi, pauvre idiot, sors-toi vite ces idées du crâne, sinon, c'est toi qui iras nourrir la Bête, là-bas.

Le Gobelin réprimandé s'éclipsa sans demander son reste. Les autres reprirent leurs occupations dans le camp en maugréant.

À court de voix, Enethen souffla un peu. Elle avait eu la plus grosse peur de sa vie. Le voyage dans la forêt avait été effroyable. La puanteur, les menaces, la terreur, rien de cela n'avait pourtant fait faillir son insolence : la Haute Comtesse n'avait eu de cesse d'abreuver d'ordres et d'insultes les frustes créatures. Sans effet sur ces dernières, ses hurlements avaient au moins le mérite de soulager la colère de la jeune femme, qui n'avait jamais subi un tel traitement.

Enethen ne se souvenait plus du déroulement précis de son enlèvement ; à un moment, les Gobelins s'étaient mis à courir en poussant des cris d'effroi. Quelqu'un ou quelque chose les attaquait. Croyant qu'on venait à son secours, la comtesse avait crié plus fort qu'eux et une grosse brute l'avait assommée. Elle s'était réveillée par terre, dans cette cage de bois, sans eau ni nourriture. Elle adressa mentalement une bordée d'injures cette fois aux Voyageurs, et principalement à Lomfor, Brunhof et Ôk, qui n'avaient pas eu la présence d'esprit de lui donner des gardes du corps. « Ces imbéciles ! pensa-t-elle. Ils ne savent que se battre. » Puis le désespoir la saisit : dans un mauvais langage humain, des Gobelins l'avaient prévenue qu'elle serait vendue sur un marché d'esclaves. Enethen n'avait aucune idée de ce qu'était une telle foire, mais le fait même d'être échangée comme une marchandise lui donnait envie de vomir.

Elle jeta un coup d'œil à travers les barreaux de bois de sa prison. Les Gobelins avaient hâtivement dressé un camp, si l'on pouvait appeler camp cette surface d'une centaine de mètres carrés entourée de troncs d'arbres abattus qu'ils n'avaient même pas pris la peine d'élaguer. Entre ces frêles palissades, les « porcs » – ainsi que la comtesse les surnommait – avaient tendu de grandes toiles qui leur servaient de tentes. À une dizaine de mètres, Enethen vit aussi de nombreuses geôles identiques à la sienne, faites de simples mais solides branches reliées les unes aux autres par de la mauvaise corde. La majorité d'entre elles retenaient prisonnières une foule de personnes, qui restaient prostrées en silence, l'air misérable. Dans la cage la plus proche de celle d'Enethen étaient enfermés une dizaine de gamins, dont certains très jeunes. Eux seuls semblaient insouciants : ils parlaient, chantaient, riaient, comme si être aux mains des Gobelins leur importait peu. Plusieurs fois, ils tentèrent d'engager la conversation avec les occupants des geôles avoisinantes mais personne, et surtout pas Enethen, ne leur répondit.

Partout dans le camp, des Gobelins s'agitaient, allaient et venaient en courant, pressés par les ordres de leur chef. La Haute Comtesse les observa sans réussir à comprendre le but de leurs occupations : couper du bois, le porter d'un endroit à un autre, crier, entrer sous une tente pour en ressortir aussitôt... De toute façon, à ses yeux, ils se ressemblaient tous. Elle en compta au moins une centaine, mais certains n'arrêtaient pas de sortir du camp, pendant que d'autres arrivaient.

La jeune femme sursauta en entendant le murmure profond qui l'avait déjà effrayée un peu plus tôt. Cela venait de l'extérieur du camp, sous l'obscurité des arbres, accompagné de coups puissants qui faisaient résonner le sol. Ce son de gorge, rauque et guttural, lui donnait la chair de poule. C'était pareil à une voix issue des tréfonds de la terre, d'un endroit qui n'a jamais connu la chaleur du soleil. Les Gobelins se rendaient parfois dans cette direction avec de la nourriture. Ils en revenaient à toute vitesse, la mine défaite.

Le son de la voix monta soudain en puissance, se transforma en un grognement puis en une longue et sinistre plainte. Alarmés, les Gobelins cessèrent leurs activités et regardèrent craintivement en direction de la forêt. Là-bas, Enethen vit le sommet d'un pin, plus haut, plus vigoureux que les autres, s'agiter, comme si on le secouait, comme s'il n'était pas plus épais qu'une brindille de paille. Les « porcs » dégainèrent leurs épées et attendirent. Peu à peu, la colère de la créature s'atténua. Sa plainte se termina en gémissement et l'on n'entendit plus rien. Les Gobelins rangèrent leurs armes et reprirent leurs travaux.

L'un des enfants, qui observait la jeune femme depuis un moment, dit alors :

– Ce qui est là-bas est terrible. Vraiment terrible. Il ne faut pas y aller. Il ne faut même pas y penser.

Enethen fixa l'enfant sans répondre. La poussière soulevée par les bottes des Gobelins, la chaleur accablante… La comtesse fut prise de vertige. Elle recula et s'allongea sur le sol, pour tenter de se reposer. Lorsqu'elle se réveilla, il faisait nuit noire. Une nouvelle clameur éclata à l'entrée du camp. Plusieurs soldats gobelins firent irruption en hurlant.

– On en a d'autres ! On en a capturé d'autres !

À la lueur des torches, Enethen aperçut derrière eux, attachés les uns aux autres, trébuchant et dodelinant de la tête, plusieurs hommes. Vacillants, les yeux dans le vague, ils semblaient drogués.

Malgré elle, Enethen jura.

Il y avait là Brunhof et une quinzaine de guerriers de la compagnie. Lomfor fermait la marche : il était porté par huit soldats et ses plaies ensanglantées le faisaient paraître d'une blancheur cadavérique. Les Gobelins ouvrirent l'une des cages vides à côté de la Haute Comtesse, la plus grande, celle qui semblait la plus solide. Sans ménagement, ils jetèrent les Voyageurs à l'intérieur avant de s'éloigner en se congratulant.

Chapitre 5

Tessa marchait seule dans la pénombre fraîche de la forêt. Les oiseaux chantaient et le sol moussu exhalait les doux parfums des averses d'automne. Au loin, entre les troncs de vieux chênes rabougris, elle aperçut une silhouette qui venait vers elle. Dans ses mains, l'être tenait un objet qui brillait d'une vive lueur. « Un soleil ! pensa Tessa. Il tient un soleil entre ses mains ! »

L'éclat devenait plus étincelant au fur et à mesure que la créature s'approchait. Quand la forme encapuchonnée ne fut plus qu'à une vingtaine de mètres de Tessa, celle-ci put à peine la distinguer tant la lueur rayonnait. La jeune fille voulut protéger ses yeux, mais elle réalisa avec horreur qu'en dépit de ses mains placées devant ses paupières baissées, la lumière continuait de l'éblouir jusqu'à lui envoyer des pointes douloureuses dans le cerveau. L'être étrange avançait encore. Au moment où il déposa l'objet lumineux sur l'adolescente, Tessa poussa le cri qu'elle avait bloqué au fond de sa gorge.

Elle s'éveilla. Les premiers rayons du soleil rougissaient le ciel. La princesse mit un instant à recouvrer ses esprits. Puis elle vit un écureuil sur un arbre voisin qui l'observait, la tête en bas. Lorsqu'elle bougea, le frêle animal se redressa d'un bond et grimpa à toute vitesse le long du tronc, avant de disparaître hors de sa vue. Tessa sourit. La veille, elle s'était endormie à même le sol, au pied d'un pin à l'épaisse ramure.

L'adolescente s'étira et bâilla longuement. Elle avait dormi d'une traite et malgré le cauchemar du petit matin, elle se sentait fraîche et dispose. Elle sortit pourtant l'un des flacons de Larania de son sac et en but une gorgée. Quelques minutes plus tard, une nouvelle vigueur envahit ses membres tandis qu'un enthousiasme débordant s'emparait d'elle. Tessa fit deux ou trois pas, aperçut le bleu du ciel au-dessus des pins. Sans plus attendre, elle poursuivit sa route. Cette fois-ci, elle courait presque tant elle avait hâte de revoir ses compagnons.

Il y avait toutefois autre chose qui faisait battre son cœur un peu plus vite. Une idée lui était venue, très brièvement, alors même qu'elle regardait l'écureuil. Ce rêve, quelle valeur avait-il ? Quelle importance lui donner ? Comment savoir si ce songe – comme celui de cette fameuse nuit sur *L'Ustripe*, ou encore ce cauchemar au cours duquel elle avait entrevu le terrible destin de son pays – annonçait un péril ? Ni elle ni personne d'autre ne pouvaient le dire.

Dès qu'elle prit conscience de cela, un énorme poids quitta son cœur. Une créature portant à bout de bras une lueur qui grandissait, elle-même chutant dans un trou sans fond, tout ceci avait-il un sens ? Était-ce un véritable avertissement ou juste le reflet de ses peurs ? Seul l'avenir le lui confirmerait. Alors pourquoi s'en inquiéter ? Tessa songea à nouveau au rêve qui lui avait prédit la fin du royaume. Elle en avait les larmes aux yeux. Elle se sentait à la fois soulagée et ridicule de s'être ainsi culpabilisée pour une menace qu'elle n'avait pu saisir sur le moment, puisqu'elle n'existait pas encore. Tout n'était pas très clair dans sa tête, mais l'idée était là : elle n'était pas responsable de ce qui s'était passé là-bas, dans son pays.

Elle se promit de tout raconter à Lomfor, Ôk et Larania. Elle aurait voulu qu'ils soient là, maintenant, pour leur parler de ce pouvoir qui ne lui servait à rien, pour leur avouer combien elle avait été stupide, ces mois durant, de s'accuser d'un crime qu'elle n'avait pas commis. Son pas se faisait de plus en plus léger au fur et à mesure qu'elle réalisait l'énormité de son erreur, une erreur qui l'avait éloignée si longtemps de ses camarades tandis qu'elle se morfondait dans la solitude.

Au bout de deux heures, la piste qu'elle suivait, une ligne droite et uniforme courant sur un sol si plan qu'il finissait par en être lassant, s'égailla en tous sens. La jeune fille passa un long moment à étudier le terrain. Un combat avait eu lieu ici. Le tapis d'aiguilles de pins était par endroits taché de sang et des armes traînaient un peu partout, comme jetées au hasard. Tessa, soulagée, constata qu'aucune n'appartenait aux Voyageurs. Alors qu'elle s'étonnait de ne pas voir de corps, la princesse remarqua d'étranges empreintes. Très étroites, elles s'enfonçaient assez profondément dans le sol, comme si quelqu'un s'était amusé à piquer la terre avec un pieu aiguisé. Tessa mesura grossièrement l'espace entre les empreintes. Deux mètres ! En outre, certaines marques que l'adolescente avait prises pour des signes de course ou de lutte ressemblaient plutôt à celles de corps que l'on aurait traînés par terre. Inquiète, elle nota que ces empreintes partaient toutes dans la même direction : le nord.

L'adolescente plissa les yeux pour regarder entre les arbres. La forêt lui parut plus obscure de ce côté-ci mais elle n'aperçut rien de notable.

La potion de Larania courait toujours dans ses veines et sa curiosité devint plus forte que sa crainte. Elle savait qu'elle perdait du temps sur ceux qu'elle poursuivait mais cela la démangeait : qui étaient ces créatures qui avaient laissé de telles traces derrière elles ? Elle lutta quelques instants contre ce désir d'aller voir… puis renonça.

— Je marche par là pendant un quart d'heure et je rebrousse chemin, se promit-elle à voix haute.

Elle s'engagea prudemment sur la nouvelle piste. Au bout d'un moment, la forêt changea. Les pins étaient plus resserrés et la pénombre plus dense. Le vent semblait ne jamais avoir soufflé en ce lieu où nuls fleurs ni buissons ne vivaient.

Tout, dans son cœur et dans sa tête, la poussait à fuir cet endroit, mais c'était plus fort qu'elle, Tessa voulait savoir ce qui se cachait là. Brunhof, Lomfor, les autres Voyageurs restaient présents à son esprit, mais ce n'était plus une urgence, elle aurait le temps de s'occuper d'eux après…

Elle atteignit enfin un grand voile, qui s'étendait sous la voûte des arbres. On aurait dit un immense drap transparent tendu entre les branches, prenant dans ses plis les troncs des pins les plus majestueux. Ici, l'odeur était terrible, nauséabonde – celle de la viande avariée –, mais Tessa n'y prêta aucune attention. Elle n'avait d'yeux que pour cette toile fabuleuse qui ondulait lentement sous l'effet d'une brise interne. Comme si elle était vivante. Le soleil perçait à travers, mais ni sa chaleur ni ses rayons ne parvenaient jusqu'à terre. Ils étaient arrêtés par le voile et celui-ci renvoyait alors des myriades d'éclats d'arc-en-ciel.

– Ça a l'air si doux, si confortable… murmura la princesse, hypnotisée.

C'était beau, c'était fascinant et Tessa ne pensait plus qu'à trouver un moyen pour l'atteindre afin de s'y plonger et de s'y reposer. L'adolescente avisa un tronc aux nombreuses ramifications et commença à se hisser lorsqu'une petite voix l'immobilisa dans son effort :

– Non, n'y va pas, c'est un piège !

Tessa sauta sur le sol en tirant son épée. Elle regarda dans toutes les directions.

– Qui est là ? Qui parle ?

Le charme était tombé. L'odeur la saisit à la gorge et elle eut un haut-le-cœur.

– Je suis là. Mais je ne peux pas bouger. Viens m'aider, reprit la voix que Tessa reconnut pour celle d'un enfant.

Guidée par l'appel, la jeune fille s'approcha d'un pin plus haut que les autres. Ses branches s'espaçaient comme les marches d'un escalier en colimaçon qui menait jusqu'à la toile. Maintenant, l'adolescente n'avait plus qu'une envie : fuir cet endroit qui empestait la mort. Le voile était d'une blancheur laiteuse et malsaine ; Tessa sut que les émanations de charogne venaient de là. À mi-hauteur du tronc, un enfant, les bras en l'air, semblait étreindre un pli de la toile.

– Il faudrait que tu te dépêches. Elles sont parties je ne sais où, mais elles risquent de revenir.

Le ton de l'enfant était étrangement calme, compte tenu de sa situation. La princesse grimpa prestement, empruntant l'escalier de branches.

C'était un petit garçon aux cheveux blonds et au visage adorable. Il paraissait très jeune même si son regard grave le grandissait de quelques années. Ses deux bras étaient enfoncés jusqu'aux coudes dans l'horrible voile. Maintenant qu'elle le voyait de près, Tessa s'aperçut que celui-ci était composé de milliers de filaments visqueux.

– N'y touche surtout pas ! prévint encore l'enfant. Essaie plutôt avec ton épée.

Malgré la finesse et la résistance de l'arme, l'adolescente eut beaucoup de mal à couper les fils qui retenaient le garçon prisonnier. Lorsque ce fut fait, de minuscules bouts de matière gluante restèrent collés sur la lame de diamant.

Aussitôt libre, l'enfant passa devant Tessa, lui lança un bref « merci » et dévala l'escalier. La princesse le suivit. Ensemble, ils coururent pour fuir l'endroit. Ils ne s'arrêtèrent qu'une fois arrivés sur les lieux où, une demi-heure plus tôt, Tessa s'était détournée de la piste des Gobelins. Ils demeurèrent quelques instants en silence, hors d'haleine. Le garçon fut le premier à reprendre son souffle.

– Je suis Timott des Vagues et je te remercie de m'avoir sauvé, fit-il en s'inclinant dans un profond salut qui tranchait avec son allure enfantine.

– Je m'appelle Tessa, dit à son tour la jeune fille.

Elle s'étonna de l'attitude de l'enfant. Il semblait si… calme, si sûr de lui.

– Qui es-tu ? questionna-t-elle. Que faisais-tu là ? Qui sont les créatures qui…

– Des araignées, bien sûr ! la coupa-t-il avec un sourire amusé. Je suis surpris qu'elles soient si près de la mer. Comme toi, je suis tombé sous le charme de leur antre. Je trouvais leur toile magnifique. Je me suis avancé pour la toucher et si tu n'étais pas venue, elles seraient en train de me dévorer !

Il s'approcha d'elle, lui prit la main et s'efforça de l'entraîner vers l'avant.

– Ne restons pas là. Je pense qu'elles sauront que nous leur avons échappé. Ça risque de les mettre en colère. Allons viens, suivons ces traces. Je crois bien qu'elles mènent aux gens que tu cherches…

Tessa resta un moment bouche bée, suffoquée ; elle essayait de comprendre ce qui l'ahurissait le plus : l'horreur qu'elle avait évitée, le flegme de Timott, ou le fait que celui-ci sache qui elle était en train de poursuivre…

– Mais… je… enfin, je veux dire, qui es-tu ?

Un brin agacé, Timott leva les yeux au ciel.

– Ah, vous, les filles, vous ne saisissez pas vite, hein ? Je m'app…

Cette fois, ce fut au tour de Tessa de l'interrompre.

– Oui, je connais ton nom. Mais comment sais-tu qui je cherche ?

Timott eut un sourire.

– Ah, ça ? Nous vous avons aperçus, il y a deux ou trois jours. Enfin, c'est surtout Viq qui l'a vu. Le grand aigle. Elle a tenté de lui parler dans sa tête, mais il s'est tout de suite enfui avec ses amis. Viq a lu dans son esprit et elle a juste eu le temps d'apprendre que vous étiez échoués sur la Plage Sans Fin. C'est dommage que l'aigle ne soit pas resté parce que Viq aurait pu le prévenir qu'il y avait des chasseurs d'esclaves dans la région.

Ils marchaient maintenant côte à côte, main dans la main. Les idées de Tessa étaient trop embrouillées pour qu'elle pose de nouvelles questions. De toute façon, Timott, toujours très sérieux, continuait à raconter son histoire :

– Puis nous avons été capturés. Enfin, pas moi, parce que j'étais en train de chercher du bois pour faire du feu. Alors j'ai marché sur les traces des Gobelins. Je me suis perdu, mais j'ai surpris un autre groupe de ces crétins. Ils avaient enlevé une femme qui ne cessait de hurler. D'ailleurs, ce sont ces cris qui ont dû appâter les araignées, parce que les chasseurs d'esclaves se sont fait attaquer. Elles en ont pris beaucoup, mais le reste de leur groupe s'est enfui. J'ai vu ensuite des guerriers qui couraient sur la trace des Gobelins. Et puis, j'ai été attiré par la grande toile et... tu es venue. Tout ça pour dire que je pense que les guerriers sont tes amis car tu leur ressembles.

Timott se tut et regarda Tessa. Il avait soudain l'air triste.

– Je suis désolé. Je ne dois pas bien raconter parce que j'ai l'impression que tu ne me crois pas...

Le garçon était si désemparé que la princesse resta un moment sans savoir que lui répondre. Elle s'agenouilla et prit la tête de l'enfant entre ses mains.

– Si, je te crois. C'est que... tout cela me dépasse un peu. L'aigle Penston, les Gobelins, Enethen, les araignées... Je ne comprends pas tout. Qui est Viq ? Qui est ce « nous » dont tu parles ?

Le visage de Timott s'éclaircit et l'espace d'un instant, il ressembla vraiment à un enfant. Dans un rire joyeux, il lança :

– Oui, c'est vrai, je ne t'ai pas expliqué ! Ah là là, Eyott me répète constamment que je ne sais pas raconter, mais c'est vrai, il a raison.

Il redevint tel qu'il était un instant plus tôt, très concentré sur son récit :

— J'appartiens à une troupe de Baladins. On est une dizaine, que des enfants. Moi, je suis un des plus jeunes, mais notre chef, c'est Luq, Luq des Nuages. On donne des spectacles dans les villages avec ce qu'on sait faire.

— Et que savez-vous faire ? demanda Tessa, de plus en plus interloquée par ce qu'elle apprenait.

— On chante, on danse, on joue des comédies. Puis on exécute des tours, c'est ce que les gens préfèrent...

— Et quel genre de tours ? De la magie ?

Tessa était maintenant persuadée d'être tombée sur une troupe d'enfants magiciens. Timott éclata de rire.

— Beurk, non, pas de la magie, ça c'est de la triche ! Non, juste des trucs qu'on effectue avec nos têtes. Viq, par exemple, elle regarde les pensées des gens et elle leur parle à l'intérieur.

Incrédule, Tessa demanda au garçon quel était son don. Très fier, Timott s'arrêta et lâcha la main de la princesse. Il s'écarta d'elle de deux pas.

– Moi ? C'est très simple. Essaye de me toucher.

Méfiante, l'adolescente tendit sa main pour saisir le bras de l'enfant. Au moment où elle allait l'atteindre, elle se sentit repoussée avec force et tomba en arrière, sur les fesses. Timott n'avait pas bougé. Vexée, Tessa chargea à nouveau, avec cette fois l'intention de le bousculer. Elle fut bloquée par une force invisible à trois centimètres de lui.

– Là, je t'ai juste stoppée. Mais j'aurais pu te renvoyer en arrière, plus loin, si j'avais voulu…

Tessa n'en revenait pas :

– Mais c'est incroyable ! Comment fais-tu ?

Timott rit et montra sa tête.

– C'est là-dedans ! Tu sais, c'est peu de choses. Toi, je t'ai fait tomber parce que tu n'es pas grande ni très lourde. Avec un Gobelin ou un type comme l'immense guerrier que j'ai vu, ça ne marcherait pas.

La mention du guerrier, Lomfor sans doute, ramena Tessa à la réalité. La rencontre avec l'enfant lui avait presque fait oublier l'objectif qu'elle poursuivait.

Pendant qu'ils reprenaient leur route – la mi-journée était proche –, elle expliqua à Timott qui elle était et qui étaient les Voyageurs. Quand elle lui demanda s'il pouvait l'aider, il haussa les épaules.

– Je veux bien. Mais c'est plus un boulot de guerrier, ça. Moi tout ce que je veux, c'est retrouver mes amis.

– Mais tu m'as dit qu'ils étaient prisonniers ?

– Ben oui, c'est pour ça que je vais vers le camp des Gobelins. Ce qu'on voulait, c'est qu'ils nous capturent et qu'ils nous emmènent dans leur cité. Comme on ne sait pas où elle se situe et qu'on ne trouve rien à manger sous ces sapins de malheur, on a pensé que le mieux, c'était de se laisser prendre. Une fois là-bas, on s'évade et hop ! on est dans une grande ville. On donne nos spectacles et on gagne plein d'argent. Le tout sans rien dépenser puisque les Gobelins nourrissent leurs prisonniers.

Tessa se dit qu'après ce récit, plus rien ne pourrait l'étonner.

Vers le milieu de l'après-midi, ils parvinrent sur les lieux d'un nouveau champ de bataille. Une embuscade, sans doute, dans laquelle étaient tombés les compagnons de Lomfor.

Ils avaient dû se faire prendre par de gigantesques filets tendus entre les arbres. Les corps de trois Voyageurs étaient encore suspendus dans les rets. Sur un rayon d'une vingtaine de mètres, de nombreux Gobelins gisaient, morts. Tessa eut un coup au cœur lorsqu'elle aperçut la hache de Lomfor.

Que faire maintenant ? Rentrer auprès de Ôk et lui avouer que tous leurs amis étaient perdus à jamais ? Charger les Gobelins et trouver là une mort héroïque ? Sans la présence de Timott, la jeune princesse se serait laissée mourir de chagrin et de désespoir. Le petit garçon attendait. Tessa fit simplement :

— Tu as raison. Le mieux, c'est sans doute de se rendre. Pour rejoindre nos amis. Les tiens et les miens.

Ils s'enfoncèrent plus avant dans la forêt de pins qui, aux yeux de Tessa, paraissait sans fin. Avant la tombée du jour, tandis que le ciel se couvrait et que la chaleur redevenait étouffante, ils arrivèrent aux portes du campement des chasseurs d'esclaves. Alors qu'ils se dirigeaient vers les sentinelles qui ne les avaient pas encore aperçus, Tessa demanda :

— Tu es sûr qu'avec vos pouvoirs, on ne réussirait pas à libérer tout le monde ?

Timott secoua la tête.

– Je te l'ai dit, nous ne sommes pas des guerriers. Comment veux-tu que des enfants se battent contre des soldats ? On pourrait peut-être neutraliser une dizaine de Gobelins… mais les autres nous massacreraient. Non, je suis désolé, je ne crois pas que nous vous serons d'une grande aide.

Le garçon reprit sa route avant de se retourner :

– Garde confiance. On fera ce qu'on pourra.

Il lui adressa un petit clin d'œil. Sur un visage aussi poupin, l'effet était du plus grand comique ; Tessa ne put s'empêcher de rire.

Chapitre 6

– Hé, Lomfor ! Tu vas bien ?

– Allez, réveille-toi !

– Mais qu'est-ce qu'il a ? Ses blessures ne sont pas si graves que ça. Leur drogue ne fait même plus effet sur nous...

– Oh là là, c'est inquiétant, ça. Lomfor, reviens, réveille-toi !

Dans l'esprit de Lomfor, se mêlaient des voix et des visages inquiets. Il entendait des bribes de conversation et distinguait des traits flous. Il voulait participer à ces discussions, mais dès qu'il essayait d'ouvrir la bouche, il oubliait ce qu'il avait à dire. Le temps qu'il se concentre à nouveau, les visages avaient changé et les conversations aussi.

Le barbare ne comprenait pas bien où il se trouvait. Les dernières images qu'il gardait en mémoire étaient celles de sa troupe prise dans les filets des Gobelins, qui leur tombaient dessus par dizaines. Ils avaient reçu des fléchettes minuscules. Au début, Lomfor et les guerriers avaient ri ; les petites pointes étaient indolores. Mais au bout de plusieurs minutes, le temps de se débarrasser des filets et de quelques attaquants, les Voyageurs s'étaient vus faiblir. Ils avaient su alors qu'ils avaient été drogués par des flèches empoisonnées. Ils s'étaient regroupés, criant et s'apostrophant pour ne pas céder aux effets du poison. Mais comment lutter contre un tel ennemi ?

Le barbare se rappela combien il enrageait. Les coups s'étaient faits moins précis, les bras pesaient plus lourds, les parades perdaient en efficacité. Lomfor avait résisté plus longtemps que ses compagnons qui, un par un, s'étaient effondrés, inanimés. Alors il avait eu droit à une nouvelle salve de fléchettes. Et encore une autre. Pour finir, il s'était agenouillé lourdement, tandis que la meute beuglante des Gobelins l'encerclait. Après cela, il n'y avait plus rien dans les souvenirs du guerrier. Juste des voix et des visages inquiets. Il ne souffrait pas. Il se sentait même plutôt bien. Il avait envie de dormir. Dormir… Lomfor se laissa doucement bercer par ces sons et ces images et retomba dans l'inconscience.

Les Voyageurs se regardèrent, consternés.

– Puis-je l'ausculter ? J'ai quelques connaissances en médecine.

Les guerriers se retournèrent.

L'homme qui venait de parler n'avait pas
trente ans. Vêtu d'une tunique en peau de
daim, il se tenait dans un coin de la prison. Il
avait gardé le silence depuis que les Voyageurs
avaient été jetés à ses côtés et il se contentait
d'observer ses nouveaux compagnons. Il semblait être le seul à ne pas souffrir de la chaleur
intolérable qui les accablait tous.

Alors qu'un Elfe le priait de s'approcher de
Lomfor, chacun put remarquer ses yeux étranges.
Ils étaient jaune d'or ; lorsqu'il dévisagea un à
un les Voyageurs, l'intensité de son regard les
força à baisser les paupières, comme s'ils se sen-
taient coupables d'un quelconque forfait.

– Je m'appelle Elmin. Je suis druide... dit-il
prudemment comme pour se justifier.

Le jeune homme s'agenouilla, leva de grandes
mains fines au-dessus de sa tête. Les yeux fer-
més, il commença à murmurer un chant dont
les paroles restèrent incompréhensibles pour
les autres. Puis sans transition, il ajouta, faisant
sursauter l'assemblée :

– … Enfin… apprenti druide. Mon maître a été tué par ces… animaux.

Il désigna les Gobelins et dans un geste plus large, toutes les cages.

– Comme eux, comme vous, je suis promis à être vendu en tant qu'esclave, poursuivit-il avec un sourire triste.

Personne ne répondit. Le jeune druide se pencha sur Lomfor et il passa de longues minutes à examiner l'immense corps. Il posa son front contre celui du guerrier comme pour écouter ses pensées. Puis il saisit les mains du géant dans les siennes et souffla dedans. Après diverses impositions de mains et un moment interminable passé à écouter le sang qui circulait dans les veines de Lomfor, Elmin se redressa.

– Il ne mourra pas. Il est trop fort pour cela. Mais il risque de ne pas se réveiller. Les Gobelins lui ont inoculé trop de poison, et son sang, malgré toute sa vigueur, ne parvient pas à s'en débarrasser.

Rhâakzi, furieux, intervint :

– Il ne peut pas mourir, mais il ne peut pas vivre. Quelle différence ? Que comptes-tu faire, druide ?

Elmin leva ses yeux dorés sur le Nain. Le fier guerrier barbu se calma immédiatement.

– Pour l'instant, rien. Dans la forêt, je connais des herbes susceptibles d'améliorer son état. Mais je suis prisonnier. Je suis désolé. Peut-être qu'avec le temps…

Le druide se releva et retourna dans son coin. Il ferma les yeux et parut s'endormir.

– Il faut nous évader. Ces barreaux de pins sont à notre portée ! lança Rhâakzi.

– Et comment feras-tu après ? Veux-tu te battre à mains nues contre des Gobelins armés ? On se ferait massacrer, répondit Almoë, un Elfe.

– Attendons encore ! Ceux du camp peuvent aussi venir à notre secours ! Larania, Ôk…

Les Voyageurs entamèrent une discussion acharnée à voix basse, soucieux de savoir quelle était la meilleure conduite à tenir.

Un peu à l'écart, Brunhof, penaud, demeurait silencieux. Alors qu'il regardait Elmin agir, il n'avait pas cessé de se maudire pour sa conduite indigne. « C'est de ma faute, on n'en serait pas là si j'étais resté au camp », pensa-t-il. Et ses réflexions s'égaillèrent vers Enethen. Où était-elle ? Dans l'une de ces cages ? Il tenta de percer l'obscurité qui, malgré la luminosité matinale, baignait l'intérieur de chacune des prisons. Il vit de nombreuses silhouettes sans distinguer leur visage.

— Psst ! Brunhof !

Le chevalier sursauta. L'appel venait de l'une des geôles voisines, sur sa gauche.

— C'est moi, Enethen…

— Enethen ! s'écria-t-il. Que le ciel soit remercié, tu es vivante !

Il se jeta contre les barreaux et passa son bras au travers pour atteindre la cage de sa bien-aimée.

— Je ne vous permets pas de me tutoyer… Et que faites…

Soudain, l'un des gardes, qui avait vu le bras dépasser, frappa dessus de toutes ses forces avec la poignée de son épée.

— Tiens-toi tranquille, le nouveau, ou tu vas tâter du fouet !

Brunhof lui décocha un regard meurtrier mais ne répondit pas. Il attendit que le Gobelin s'éloigne avant de reprendre en chuchotant sa conversation avec la Haute Comtesse :

— Enethen, comment allez-vous ? Veuillez pardonner ma familiarité de tout à l'heure, j'étais juste…

— Que faites-vous là ? Où sont Ôk et Larania ? le coupa brutalement la jeune femme.

– Eh bien, j'étais venu vous libérer…

– Superbe, c'est réussi ! Brunhof, vous n'êtes qu'un crétin !

– Les autres m'ont suivi et euh… nous avons été faits prisonniers.

– Quelle belle bande d'incapables ! Ah, mon Dieu, que vais-je devenir ?

Brunhof comprenait la déception et le découragement de sa douce. Oui, elle avait raison, ils n'étaient que des incapables. Il sentit la colère le gagner.

Dans la cage de droite, des enfants avaient observé toute la scène. Leurs yeux ne quittaient pas Brunhof. Il leur tourna le dos et, adossé aux barreaux, replongea dans ses sombres pensées.

Le soleil, à son zénith, se cachait par intermittence derrière de lourds nuages d'humidité sans alléger pour autant la terrible moiteur de l'air. Un peu plus tard, les Gobelins ouvrirent la porte de la cage, tenant à bout de bras une grosse marmite remplie d'un liquide épais et brûlant.

– Mangez, chiens, ça vous gardera en forme, aboya l'un d'eux.

Il jeta une louche à terre. Une seule pour les seize hommes emprisonnés. Du fond de la geôle en bois, Elmin éleva la voix :

– Soldats ! Nous avons ici un homme qui mourra s'il n'est pas soigné. Tenez-vous à perdre de l'argent ?

Les Gobelins bousculèrent les prisonniers pour parvenir jusqu'au druide assis par terre.

– Que veux-tu, homme des bois ? Pourquoi mourrait-il, il est à peine blessé !

– Vous l'avez drogué et votre poison reste dans ses veines. Il me faudrait des herbes qui poussent là-bas sous les pins.

À ces mots, le chef des gardes éclata de rire :

– Ah ! Tu veux te dégourdir les jambes, tu veux te promener sous les arbres. Et puis t'échapper, en profitant de ta magie de sorcier ! C'est non, druide.

L'un des Gobelins vint murmurer à l'oreille de la sentinelle. Celui-ci écouta et fit :

– Mmmh, oui, pourquoi pas... Il faudrait voir avec le patron.

Comme ils sortaient, Rhâakzi apostropha le geôlier :

– Juste un mot, Gobelin. Si cet homme meurt, ce sera de ta faute. Et je te le ferai payer très cher. Ne l'oublie pas, quelle que soit ta décision.

Le Gobelin recula devant le regard assassin du Nain. Puis il se reprit :

— Pour ces mots, petit guerrier (et il insista sur le mot *petit*), je pourrais te tuer. Mais tu as raison, je n'oublie pas ce que tu viens de me dire. Il se pourrait même que je m'en souvienne plus tôt que tu ne le penses.

Les soldats furent en effet de retour au bout de quelques minutes, accompagnés du « patron ». C'était Sorgûr, celui qui avait commandé l'attaque contre les Voyageurs sur la plage.

— On me rapporte que l'une des femmelettes ici présentes est en train de mourir ?

Personne ne répondit mais l'autre s'en moquait. Tout à sa fierté d'avoir de valeureux guerriers sous sa botte, il s'écoutait parler :

— Nous autres Gobelins ne sommes pas de mauvais bougres. On s'en voudrait de voir mourir l'un des vôtres, même si… (il désigna Lomfor) celui-ci mérite plusieurs fois la mort pour les massacres qu'il a commis.

« Dis plutôt que tu t'en voudrais de perdre une si belle marchandise », songea Rhâakzi, qui se retenait de sauter à la gorge du Gobelin.

— Alors, mes gars ont eu une bonne idée. Si vous voulez les herbes, nous sommes prêts à aller les chercher. Le druide n'a qu'à nous préciser ce dont il a besoin…

Elmin secoua la tête d'un air agacé.

— Mais tout service mérite paiement. Pour obtenir ces plantes, vous devrez les acheter…

Sorgûr se tut et scruta sur les visages des prisonniers l'effet produit par ses paroles.

— Vous vous demandez comment ? ricana-t-il, de plus en plus content de lui. C'est simple. Ce Nain fera l'affaire.

Il se tourna brusquement vers Rhâakzi.

— Que veux-tu ? Laisse-moi tranquille, marmonna le guerrier, mal à l'aise.

— On m'a confié que tu tenais beaucoup à la vie de cet homme. Eh bien, tu vas avoir l'occasion de lui prouver ton amitié.

Les Gobelins éclatèrent de rire.

— Tu vas combattre la Bête, là-bas, sous les arbres. Si tu vaincs, tu sauves ton ami. Si tu perds, il meurt. Qu'en penses-tu ?

Rhâakzi sourit intérieurement en entendant le mot « combattre » ; en duel, il était un adversaire au moins aussi redouté que Lomfor. Brute gobeline ou bête sauvage, il la maîtriserait aisément. Le Nain était donc plutôt satisfait mais il ne le montra pas.

Elmin éleva la voix :

— Pourquoi faites-vous cela ? Ces deux hommes pourraient vous rapporter beaucoup d'argent sur le marché… Pourquoi les sacrifier ?

Sorgûr alla jusqu'au druide et le gifla.

– Tais-toi, homme des bois, sinon c'est toi qui affronteras la Bête à la place du Nain. Je décide de ce qui est bien ou pas pour les Gobelins. Ce n'est pas une racaille comme toi qui vas nous commander.

Mais Elmin continua à parler :

– Vous ne le ferez pas, vous savez bien que je vaux plus cher que tous ceux qui sont ici. N'y allez pas, maître Rhâakzi, c'est la mort qui vous attend. N'y allez…

Il ne put finir sa phrase, Sorgûr l'assomma avec le plat de son épée. Rhâakzi avait des sueurs froides. Dans la prison d'à côté, les enfants criaient qu'il ne fallait surtout pas se rendre sous les arbres. Du coin de l'œil, il vit même Enethen qui, accrochée aux barreaux, lui jetait des regards inquiets.

À ce moment, Brunhof intervint.

– Ne te fatigue pas, Rhâakzi. C'est à moi d'y aller, pas à toi.

Sorgûr, qui s'irritait de voir les événements lui échapper, bondit sur le chevalier :

– Qui es-tu ? J'ai désigné ce Nain. C'est lui qui ira.

– Mais c'est impossible, regardez.

Plus vif que l'éclair, Brunhof se retourna vers Rhâakzi et lui envoya un formidable coup de poing dans le visage. Le Nain décolla du sol et retomba, inanimé, sous les yeux stupéfaits des gardes et des prisonniers.

– Vous voyez bien qu'il n'est pas en état de combattre.

Il se pencha vers le Nain et lui murmura :

– Désolé mon vieux, mais tu ne m'aurais jamais cédé ta place.

Sorgûr se reprit enfin. Il se mit à hurler :

– Tu joues au héros ? Tu veux vraiment te sacrifier ? Eh bien, crois-moi, tu vas être servi… Tu… tu…

Il aspira une grande goulée d'air, comme s'il cherchait ses mots. Il expira ensuite une litanie d'insultes puis suivi par ses hommes, sortit en coup de vent de la geôle.

– Qu'est-ce qui t'a pris ? demandèrent les Voyageurs à Brunhof.

– J'ai des choses à expier et cela me regarde. C'est la mort qui attend là-bas, vous avez entendu Elmin et les gamins ? Si quelqu'un doit mourir ici, c'est moi. C'est tout. Et maintenant, laissez-moi tranquille !

Il s'assit à côté du druide inanimé et s'enferma dans un mutisme dont personne ne réussit à le tirer.

Dans l'après-midi, il y eut des échanges entre les différentes cages. Des questions concernant la créature fusaient à voix basse parmi les prisonniers. La prison de bois des enfants se trouvait au carrefour de ces discussions. Les Voyageurs avaient du mal à croire ce que leur affirmait le chef de cette bande, un jeune garçon du nom de Luq. Comment connaîtrait-il la noirceur de l'âme de cette Bête, un monstre errant capturé par les Gobelins, alors même qu'il était incapable de la décrire physiquement ?

— N'y a-t-il rien que tu puisses conseiller à Brunhof sur la meilleure façon de tuer la Bête ? demanda l'un des Elfes.

Luq fit venir une fillette à peine plus âgée que lui. Il la présenta sous le nom de Viq du Vent.

— C'est elle qui vous informera le mieux.

Les Voyageurs se succédèrent pour la presser de questions. Mais Viq hésitait à parler. Timidité et frayeur l'empêchaient d'être précise dans les renseignements qu'elle leur fournissait.

— Elle est terrible, se bornait-elle à répéter. Elle ne pense qu'à manger, qu'à tuer. Elle voudrait retourner sous la terre, d'où elle vient.

– Mais qui est-elle ? Comment est-elle ? Comment sais-tu tout cela ? interrogea l'assemblée.

– Je ne l'ai jamais vue, mais je lis dans son esprit. Elle-même ne sait pas à quoi elle ressemble. Vous ne la vaincrez pas. Elle est trop forte.

Sans transition, Viq regagna l'ombre de sa prison de bois. Après cet échange, un silence inquiet tomba sur les prisonniers, avant de se répandre dans tout le campement gobelin.

Le vent venu de la mer cessa brusquement et le ciel commença à se voiler. Vers la fin de l'après-midi, la chaleur s'intensifia tandis que l'air se chargeait d'humidité. Gardes et détenus ruisselaient de sueur ; les uns et les autres économisaient leurs gestes et bientôt, on ne sentit plus le moindre mouvement. Vue du ciel, la clairière aménagée devait sembler déserte. Une plainte profonde s'éleva soudain en dehors du camp. Elle dura de longues secondes et finit en un râle expirant. La peur gagna le cœur des prisonniers, mais Brunhof restait imperturbable.

Une demi-heure plus tard, Sorgûr réapparut, escorté d'une vingtaine de soldats lourdement armés. Le visage porcin du capitaine affichait un sourire vicieux :

— Voici les herbes du druide ! Que le guerrier remporte le combat et elles sont à vous.

Brunhof fut tiré hors de la cage.

— Alors, humain, tu es prêt à prouver ton héroïsme ? fit Sorgûr en ricanant.

On donna au chevalier un bouclier et une épée choisis parmi les armes des Voyageurs. Puis sous la menace de cinq lances pointées sur lui à bout portant, l'homme fut conduit à l'extérieur de la clairière. Lorsqu'il passa devant la prison d'Enethen, celle-ci ne dit rien. Mais son regard trahissait un mélange d'émotions qu'elle n'avait pas l'habitude de montrer : de l'inquiétude, bien sûr, mais aussi du respect.

— Bonne chance, murmura-t-elle dès que le groupe eut disparu.

Le silence, à nouveau, retomba.

C'était sans doute nerveux : Tessa retenait comme elle le pouvait le fou rire qui montait en elle. Lorsque, accompagnée de Timott, elle s'était présentée aux sentinelles gobelines, celles-ci avaient manifesté leur étonnement par des glapissements ridicules. Elles n'en revenaient pas : deux enfants qui se rendaient, alors qu'on ne leur avait rien demandé ! Méfiantes, elles envoyèrent une patrouille ratisser les parages, tandis que l'arme de Tessa était confisquée.

Sous bonne escorte, Timott et Tessa furent emmenés au centre du camp, là où les cages en bois étaient regroupées. Sous les regards stupéfaits d'Enethen et des Voyageurs, ils furent enfermés avec les autres enfants. Timott laissa éclater sa joie de retrouver ses compagnons.

– Tessa, je te présente mes amis... dit-il. Luq des Nuages, notre chef, Eyott des Rocs, son frère, Viq et voilà aussi Alyss, Prûn... Les Joyeux Baladins au complet, c'est nous !

La princesse se perdit rapidement dans les noms et les visages. Il y avait en tout une dizaine d'enfants dont le plus âgé n'atteignait pas les douze ans. Tous lui firent bon accueil, avec ce mélange de naïveté et de solennité qu'elle avait déjà remarqué chez Timott. Très vite, ils la considérèrent comme l'une des leurs. Puis, pendant que Timott narrait leurs aventures, Tessa entra en contact avec les Voyageurs.

Almoë, l'Elfe, lui résuma la situation, de leur traque jusqu'à leur emprisonnement. Hésitant, il termina en expliquant le jeu cruel auquel s'était livré le chef gobelin. Brunhof venait juste d'être emmené. Pendant que l'Elfe lui parlait, Tessa sentait l'angoisse envahir son cœur. Lomfor mourant ! Brunhof courant à la mort ! Elle enrageait. La jeune fille saisit les barreaux mal ajustés de sa prison, comme si elle voulait les briser. Elle se mit à pleurer et les consolations que lui prodiguèrent ses nouveaux amis n'y firent rien.

Tout à coup, il y eut un formidable grognement de colère, là-bas, qui flotta longuement dans l'air, immédiatement suivi d'une explosion de joie. Le combat avait commencé et manifestement les Gobelins se régalaient du spectacle. Puis les prisonniers entendirent des exclamations désolées, accompagnées de rires et de quolibets. Tessa interrogea ses compagnons du regard. Viq ferma les yeux. Elle se concentra et lut dans l'esprit des gens qui se trouvaient dans l'autre clairière.

– Ils sont vivants, ton ami et le monstre… Le chef gobelin n'est pas content, raconta la petite fille d'une voix fatiguée. Le chevalier ne veut pas se battre. Ils sont tous les deux malheureux, lui et la Bête. Ils reviennent.

Viq se tut.

Agrippés aux barreaux de leur cage, les prisonniers assistèrent au retour du groupe. Trébuchant, poussé par les gardes railleurs, Brunhof avançait en tête, le visage défait, aveuglé par ses larmes. Derrière eux, la Bête laissait éclater sa colère. Là où elle était, les arbres frissonnaient et la terre vibrait des coups qu'elle assénait.

– Qu'est-il arrivé ? Qu'est-ce qu'il y a ? Brunhof, répondez-moi ! demanda Enethen, la voix chevrotante, quand ils passèrent devant elle.

– Je… je n'ai pas pu. J'ai eu peur, vous comprenez ? PEUR ! J'ai fui le combat ! sanglota le chevalier en s'effondrant sur le sol.

Les Gobelins durent le traîner jusque dans sa cage où ils le jetèrent sans ménagement. La scène était dure à supporter pour tous ceux qui étaient présents. C'était la première fois qu'ils voyaient un tel combattant à terre, physiquement intact, moralement détruit. La haine des Voyageurs envers leurs ennemis augmenta encore d'un cran.

– Sale pourceau, donne-moi une épée et affrontons-nous en combat singulier, juste toi et moi, on verra si tu fais toujours le fier ! cria rageusement Rhâakzi à Sorgûr, un gros hématome lui barrant le visage, là où Brunhof l'avait frappé un peu plus tôt.

La révolte grondait et Sorgûr appela des renforts. Une quarantaine de Gobelins surgirent de leurs tentes. Avec leurs fouets, ils firent reculer tout le monde au centre de la cage. Lorsqu'un semblant de calme fut revenu, Sorgûr prit la parole. Sa laideur était encore accentuée par un sourire empli de perversité.

— Vous n'avez donc pas compris la leçon, vermines ? Je veux quelqu'un pour combattre à la place de ce lâche. La Bête ne se calmera pas tant qu'elle n'aura pas mangé.

Il fit le tour des visages :

— Alors ? J'attends. Toi, le Nain, veux-tu prendre le tour qui t'a été refusé ? Ou bien toi, stupide Elfe aux airs supérieurs ?

Rhâakzi recula et baissa les yeux. Almoë secoua la tête en signe de refus. Aucun des Voyageurs ne désirait se retrouver dans la situation de Brunhof. L'odieux Gobelin savourait son pouvoir et il poursuivait ses moqueries :

— Ne me dites pas que ce chevalier de pacotille était le plus valeureux d'entre vous ! Va-t-il falloir que je désigne un volontaire ?

— Moi, j'irai.

La voix était ferme et assurée. Sorgûr sursauta car elle venait de derrière lui. Il se retourna, surpris.

– À une condition. Je veux que vous soigniez le grand guerrier avant, enchaîna Tessa, dont le regard dur était rivé sur celui du Gobelin. S'il n'était pas dans cet état, il nous aurait déjà débarrassés du monstre. Soignez-le et j'y vais. Je vous promets un spectacle que vous n'oublierez jamais.

Un silence ébahi accompagna cette déclaration. Sorgûr se mit soudain à rire :

– Ah ah ! Une enfant ! Une enfant contre la Bête ! Pourquoi pas ?

Il redevint sérieux et s'approcha de Tessa jusqu'à coller son museau sur les barreaux. La jeune fille ne se déroba pas, malgré la puanteur du Gobelin.

– D'accord, je vais soigner ce type. Mais je te préviens, tu as intérêt à nous réjouir, moi et mes soldats. Si tu meurs trop vite, il sera le prochain sur la liste, qu'il soit rétabli ou non !

Tessa ne cilla pas. Devant son air décidé, le chef recula :

– Gardes ! Apportez les herbes et donnez-les au barbare. Et qu'on aille chercher l'épée de cette jeune insolente.

Avant de repartir, il lâcha :

– Adieu, gamine, je te souhaite bien du plaisir.

Les Voyageurs sortirent enfin de leur stupéfaction.

– Princesse ! Ne faites pas cela !

– Vous ne pouvez pas vous sacrifier !

– Laissez-moi y aller à votre place !

Tessa fut intraitable.

Ce n'était pas par bravade ni par insouciance qu'elle s'était portée volontaire. La jeune fille avait pensé à son père, à la façon dont il aurait agi dans de telles circonstances. Il se serait désigné tout simplement parce que l'un de ses sujets était en danger. Depuis les événements qui les avaient conduits à l'exil, elle avait fui ses responsabilités. Il était temps qu'elle assume son rôle de princesse, même si c'était pour la première et dernière fois.

– Je dois y aller, conclut-elle pour clore les débats. Sinon, comment pourrais-je prétendre vous gouverner un jour ?

Elle avait dit cela afin que ses compagnons ne soient pas submergés par la honte d'avoir laissé une adolescente combattre à leur place.

La nuit tomba brusquement et la faible brise apparue dans l'après-midi cessa en même temps. Fatigués, assoiffés et affamés, les prisonniers tentèrent de trouver un peu de fraîcheur près du sol, mais celui-ci se contenta de restituer la chaleur qu'il avait emmagasinée depuis plusieurs semaines. Les soldats ne tardèrent pas à apporter l'épée de diamant.

Tessa fut surprise de voir que Sorgûr avait tenu parole. Des gardes, suivant les conseils d'Elmin, vinrent administrer au barbare inanimé le contenu d'une fiole dans laquelle baignaient les herbes. La princesse se retint de pleurer. Elle aurait tellement voulu serrer Lomfor dans ses bras une fois encore. Sous le regard goguenard du chef, Tessa embrassa Timott et salua les Baladins un à un…

Lorsqu'elle fut emmenée hors du camp, les Voyageurs entamèrent un chant grave et puissant que les coups de fouet des gardes ne purent interrompre.

Chapitre 7

L'arène ■ Oklokl ■ Le combat de Tessa ■
Fuites sous l'orage

Tout d'abord, Tessa ne vit rien.

Les Gobelins la poussèrent à l'intérieur d'un grand cercle délimité par des torches plantées en terre. Dans la clairière, au centre de l'arène, un vieux pin avait grandi de manière étrange. Son large tronc se dressait à six ou sept mètres au-dessus du sol. À cette hauteur, les branches de l'arbre partaient dans tous les sens, comme si le vent l'avait décoiffé.

Au pied du pin, Tessa distingua une immense silhouette prostrée sur le sol. Elle pensa immédiatement à une bête sauvage, un ours ou un gorille géant. Tandis que ses yeux s'habituaient aux ombres projetées par les flambeaux, elle discerna aussi d'autres formes gisant à terre. Elle eut un haut-le-cœur lorsqu'elle réalisa que c'étaient des corps à demi dévorés : elle en compta une dizaine et plusieurs d'entre eux étaient des Gobelins. Elle inspira longuement, cherchant dans le souvenir de ses parents le courage de s'approcher de l'arbre et de ce qui sommeillait dessous. La princesse serra fort son épée et s'avança. Derrière elle, en dehors du cercle de lumière, des ricanements s'élevèrent. Des pierres et des pommes de pin volèrent en direction du monstre, pour l'agacer. La silhouette massive finit par prendre conscience de la présence de Tessa. Grognant, crachant, elle se déplia avec lourdeur, jusqu'à toucher les premières branches de l'arbre. Un poing gigantesque émergea de cette ombre monstrueuse avant de frapper le tronc.

Le pin vibra jusqu'à sa plus petite épine.

La lueur vacillante des torches accrocha le regard de la créature et Tessa comprit alors pourquoi Brunhof n'avait pas eu le courage d'aller jusqu'au bout. Ce qui lui faisait face n'était ni humain ni même animal. Sa résolution s'évanouit. Elle ne tourna pas les talons, elle resta paralysée.

C'était la rage qui le faisait vivre. Cela et la faim. Il était vivant et tout ce qui vivait dans le monde n'était pour lui que de la nourriture. Voilà les seules choses qu'il savait, en dehors de son nom, celui que son peuple lui avait donné avant de le chasser : Oklokl, ce qui, traduit en langage humain, signifiait à peu près Dévoreur-de-Frère.

Oklokl avait vu le jour, il y a longtemps de cela, dans la pénombre d'une triste vallée, parmi les montagnes inexplorées qui bordent le nord du continent. Il était né Troll, mais aujourd'hui, sa taille, sa sauvagerie et son aspect en faisaient une créature sans équivalent ici-bas. Aucun membre de la sinistre peuplade des Trolls ne pouvait plus se reconnaître dans l'abomination qu'il était devenu. Tout jeune, il avait dévoré sa famille, ce qui lui avait valu d'être battu et laissé pour mort par son propre clan dans une crevasse.

Oklokl survécut, l'âme désormais emplie d'une haine sans borne envers l'univers entier. À l'âge de trois ans, il quitta les montagnes pour s'enfoncer sous les arbres noirs d'une grande forêt éternellement noyée dans les brumes. Il y établit son territoire, délogeant les horreurs qui habitaient là à coups de dents et de poings. Il régna alors en maître sur une végétation pourrissante et une faune immonde qui lui servait de nourriture. Pour abri, il se choisit une grotte humide dont le fond se perdait dans les entrailles du monde.

Au fil des années, alors qu'il gagnait en puissance, en ruse et en perversité, son aspect physique évolua. La mousse des arbres envahit son corps, transformant sa peau en être vivant indépendant. Des milliers de petites créatures naquirent là, fondant leurs colonies sur et en lui, sculptant sa peau cuirassée par la terre et le sang de ses victimes. C'était une montagne animée, une forêt mortelle sur laquelle ni le Bien ni le Mal n'avaient prise.

Un jour, une puissance supérieure à la sienne le chassa de son territoire. Oklokl entreprit alors une longue errance parsemée de souffrances et jalonnée par la faim, semant la mort et la terreur parmi ceux qui avaient la malchance de se trouver sur son chemin. Ce personnage extraordinaire finit par arriver jusqu'à l'Océan. Pour la première fois de sa misérable vie, un sentiment de paix s'empara de lui. Le monde n'était pas fait que de brumes et de vers géants, de neige et de cris d'horreur. La chaleur du soleil, la fraîcheur du vent, l'infini du ciel et de l'Océan soulagèrent une partie de sa peine. Il resta longtemps sur la plage jusqu'à cette nuit où les Gobelins surgirent avec leurs fléchettes droguées.

L'organisme de Oklokl, qui avait résisté à toutes les intempéries et à toutes les maladies, ne fit pas long feu face au poison des viles créatures. Le Troll sortit de son coma très amoindri, réalisant qu'il était enchaîné à un arbre. Les Gobelins le harcelaient, lui lançaient des flèches, lui apportaient des esclaves pour qu'il les mange. Fou de terreur et de rage, il en avait attrapé quelques-uns mais ce qu'il mangeait ne suffisait plus : ses forces le quittaient. Il se mourait et voulait juste retrouver la liberté dont les Gobelins l'avaient privé.

Oklokl se leva péniblement, parcourut une dizaine de mètres et grogna lorsqu'il sentit la chaîne se tendre à sa cheville. Il rassembla toute son énergie pour tenter, une nouvelle fois, de la rompre. Comme il n'y parvenait pas, il frappa l'arbre dans l'espoir de l'abattre. En vain. Au plus fort de ses colères, il avait pulvérisé des pans entiers de collines. Aujourd'hui, il ne pouvait même plus briser un misérable tronc.

Il se concentra sur la minuscule créature qui restait immobile à vingt mètres de lui. Il la renifla soigneusement et reconnut aussitôt l'odeur caractéristique des êtres vivants qu'il avait croisés au cours de sa vie : c'était celle de la terreur, une émotion pure dont Oklokl s'était longtemps délecté, quand il « jouait » avec ses victimes avant de les dévorer.

Le Troll n'avait que trois enjambées à faire pour venir écraser l'enfant. Mais il n'avait pas faim, il n'avait pas envie de jouer. Il était juste las. Il s'assit sur ses talons et, l'esprit perdu dans ses propres cauchemars, attendit la suite des événements.

— Alors gamine, tu y vas ? cria Sorgûr. Tu vois bien que la Bête a sommeil ! Saisis ta chance !

Les Gobelins explosèrent de rire. Comme Tessa, subjuguée par l'aura maléfique du Troll, ne bougeait pas, Sorgûr poursuivit :

— Si tu n'y vas pas, je te livre attachée entre ses crocs.

Tessa entendait tout ce qui se passait autour d'elle. C'était comme dans un rêve. Elle savait qu'au-dessus des arbres, un puissant orage approchait tranquillement, sûr de sa force. Elle savait qu'à des heures de marche de là, d'angoissantes araignées tissaient une toile fatalement attrayante. Elle entendait les moqueries des Gobelins et les lamentations des prisonniers, là-bas. Elle entendait les chuchotements des arbres dans la nuit. Elle imaginait Ôk et Larania dans leur bivouac, veillant nerveusement, attendant leur retour. Mais elle n'avait d'yeux que pour la monstrueuse créature qui se tenait assise devant elle.

La faible lueur des torches suffisait à éclairer son visage. C'étaient de la pierre et de la terre, et de l'herbe, oui, de l'herbe, qui lui servaient de peau ! Sa bouche, aux lèvres couvertes d'humus, s'ouvrait en un puits sombre bordé de dents épaisses, noires et ébréchées tels les pics déchiquetés d'une montagne. De cet antre de cauchemar émergeait parfois, au rythme de ses respirations, une masse informe : sa langue craquelée comme un brûlant sol d'été.

Mais le pire pour Tessa, c'étaient les yeux. En un instant, elle devina d'où venait cet être. Elle sut les horreurs auxquelles il avait participé et le plaisir qu'il en avait retiré. Mais elle eut brusquement conscience d'autre chose. Le regard de Oklokl était braqué sur elle, et pourtant il ne la voyait pas. Tessa crut y déceler de la tristesse. « Malheureux. C'est ce que Viq disait, il est malheureux », pensa-t-elle. Cette impression disparut lorsqu'une flèche enflammée tirée par les Gobelins vint se planter dans le torse du Troll.

Il gronda, balaya d'un revers de main le projectile et, avec une agilité et une rapidité étonnantes, il se jeta sur Tessa. La jeune fille n'eut pas le temps de bouger. Mais le monstre avait oublié la chaîne. Mise à rude épreuve, elle se tendit avec des gémissements inquiétants, attirant Oklokl en arrière. Il chuta bruyamment sur le sol.

En sueur, Tessa revint enfin à elle. Parce qu'elle n'osait toujours pas s'approcher, les Gobelins l'y forcèrent en pointant leurs lances dans son dos. Elle brandit son épée devant elle tel un bouclier. Toute trace de mélancolie avait quitté le Troll. Sa rage remplaça sa fatigue. Il hurla, tapa du poing sur le sol et chargea.

Le lien qui le retenait à l'arbre, la lourdeur due à sa taille, firent que Tessa n'eut aucun mal à éviter l'attaque. Alors qu'elle passait derrière lui, elle lui asséna un violent coup d'épée, aussi haut que possible, au-dessus du mollet. L'épée rebondit sur la carapace vivante de Oklokl. L'adolescente gémit. Elle avait rassemblé toutes ses forces dans cette offensive, et elle ne l'avait même pas égratigné. Elle battit en retraite car le Troll s'était retourné, dépliant un bras gigantesque pour l'attraper.

De longues séquences se déroulèrent ainsi, le monstre soufflant et chargeant, Tessa esquivant les coups, tentant de percer son armure naturelle. Les hurlements de colère de la Bête, les cris des Gobelins se mêlaient aux lueurs des torches en une sarabande sans fin. La princesse ne quittait pas la créature des yeux : elle pouvait lui échapper en prévoyant ses déplacements. Mais une seule faute d'inattention et la masse de Oklokl la réduirait en bouillie. Elle finit par perdre le fil du temps et ne réfléchit plus qu'en termes d'esquives. La jeune fille ne savait pas si elle tiendrait longtemps ainsi. Le Troll, lui, ne semblait pas se fatiguer. Bien au contraire, il parut à Tessa qu'il gagnait en vivacité. Retenant des sanglots de terreur, elle trébucha. L'énorme poing s'écrasa devant elle et elle sentit le souffle provoqué par le mouvement lui caresser le visage. Elle se releva et voulut se réfugier hors de portée du monstre. Mais les lances gobelines l'obligèrent à rester dans le cercle.

Le combat était inégal et l'adolescente sut qu'elle ne pourrait jamais se sortir de ce piège. Tessa fut de nouveau derrière la Bête et la chaîne tendue manqua de peu de la décapiter. Sur une inspiration subite, Tessa abattit le tranchant de son épée sur le métal usé, en y mettant toute sa volonté.

Le choc entre le diamant et le métal produisit un grand bruit, clair et vif. Des étincelles jaillirent. La chaîne ne se brisa pas, mais Tessa trouva le résultat encourageant. Peut-être qu'en se concentrant toujours sur le même point... Un souffle d'air balaya la clairière et les flammes des torches vacillèrent. Quelques instants plus tard, un craquement sec déchira le ciel. L'orage arrivait enfin.

Indifférents à la tempête qui se préparait, encouragés par des Gobelins surexcités, Tessa et Oklokl poursuivaient leur danse de mort autour de l'arbre qui encaissait en tremblant les brusques tensions de la chaîne. L'idée de rompre le lien avait redonné confiance à la princesse : maintenant, elle avait un but. Son seul espoir résidait dans la détresse qu'elle avait lue dans les yeux du Troll, juste avant le combat. Une fois libre, sans doute en profite-rait-il pour fuir... Aussi, dès que Tessa avait évité une offensive de la créature et que la chaîne se tendait, elle martelait l'anneau qu'elle avait choisi comme point de rupture. De temps à autre, afin que les Gobelins ne remarquent pas son manège, elle tentait des attaques contre la Bête. Elle n'osait imaginer lequel, du diamant ou de l'acier, céderait le premier.

Après une trentaine de coups, l'anneau mon-tra des signes évidents de fatigue. Usé par les tentatives de libération de Oklokl, entaillé par les martèlements rageurs de Tessa, il commença à se déformer. Puis l'épée de diamant lui arracha des éclats. La jeune fille n'en pouvait plus. Ses poumons étaient sur le point d'exploser. Tendus à l'extrême, les muscles de ses jambes et de ses bras ne répondaient plus que tardivement à sa volonté. Mais elle s'acharnait, puisant de nouvelles ressources dans son cœur, se répétant que libérer le Troll suffirait.

L'anneau de la chaîne finit par se briser et celle-ci céda brusquement. Oklokl bascula en arrière et Tessa, emportée par son élan, chuta. À cet instant, les nuages crevèrent et la pluie, longtemps retenue, tomba enfin. En quelques secondes, des trombes d'eau se déversèrent sur la forêt de pins, balayée par de violentes rafales de vent.

Il y eut un moment de confusion. Une, puis plusieurs torches fumèrent avant de s'éteindre. Dans ce court intervalle, la princesse, qui ne trouvait pas la force de se relever, aperçut la créature ; debout, la gueule tournée vers le ciel, elle semblait boire l'averse. Les Gobelins se turent, stupéfaits par la soudaineté de l'orage et par ce qu'ils venaient de voir. Hébété, l'un d'entre eux s'approcha pour vérifier ce qu'il pensait impossible. Alors qu'il passait derrière Oklokl, celui-ci détendit son bras à la vitesse de l'éclair. Le hurlement du Gobelin s'arrêta net lorsque le monstre lui arracha la tête. Des cris de terreur éclatèrent au milieu du fracas du tonnerre. Les Gobelins rompirent leur assemblée, s'enfuyant en désordre.

– La Bête est libre !

Oklokl jeta le corps du soldat avec dégoût. Il voulait la petite créature qui l'avait tellement fait courir. Personne ne lui avait tenu tête aussi longtemps. Elle était maladroite, ses coups ne le chatouillaient même pas, mais ses feintes l'avaient mis hors de lui. Elle était là, à terre, enfin épuisée elle aussi.

Le Troll fit trois pas et abaissa son visage, ouvrant le gouffre de nuit qui lui servait de gueule pour saisir sa proie. Chose étrange, celle-ci n'avait pas peur. Surprise, la Bête hésita. Elle se redressa. C'était la première fois qu'elle n'entendait pas les cris d'horreur de l'une de ses victimes. L'être chétif brandissait son poing devant lui et produisait des sons proches de la fureur.

– … Libre ! Idiot ! Va-t'en ! Ta chaîne ! Regarde ta chaîne !

La pluie s'intensifia encore un peu plus, noyant les mots de l'humaine dans la clairière. Agacé, Oklokl fit un geste pour essuyer l'eau qui lui dégoulinait dans les yeux. Puis il vit l'extrémité du lien métallique qui gisait dans la boue.

Tessa enrageait. Ce n'était plus la peur, mais la colère d'avoir échoué, qui la maintenait ainsi.

— Tu es libre ! lui lança-t-elle en montrant le lien de métal brisé. Va-t'en !

Les éclairs zébraient le ciel à chaque seconde et la jeune fille put lire le doute qui s'insinuait dans les yeux du monstre. Enfin, il ramassa la chaîne. Voilà, c'était fait. Il n'y avait plus rien à ajouter.

Sans transition, la princesse passa de la colère au chagrin. La fatigue la terrassa sans qu'elle puisse se reprendre. Assise dans la boue, le visage caché dans ses mains, elle essayait de retenir les sanglots qui explosaient dans sa gorge :

— J'en ai assez. Je veux rentrer, hoqueta-t-elle.

Oklokl la dévisageait. Il s'abaissa pour renifler l'adolescente. Il gronda fort encore une fois et leva son poing. Puis brusquement, il se détourna de Tessa et se dirigea vers le camp gobelin. Incrédule, l'adolescente se remit debout en pataugeant.

— Je suis vivante ! hurla-t-elle, et elle éclata de rire au milieu de ses larmes.

Puis elle réalisa.

— Le camp ! Non, pas vers le camp !

Elle courut sur les traces du Troll en criant :
— Sale bête ! Pas par là ! Pas par là !

Tous les prisonniers, même ceux des cages les plus éloignées, étaient suspendus aux lèvres de Viq. Jusqu'à Enethen qui ne cessait d'interrompre la petite fille, ce qui lui valait de se faire rabrouer à chaque instant. L'enfant était plongée dans les pensées de Tessa et de Oklokl et résumait ce qui se passait dans la clairière. Il n'y avait que le tonnerre et le bruit de la pluie — et Enethen — pour couvrir le son de sa voix.

— Il s'en va, dit la fillette. Il se dirige par ici et Tessa est vivante.

Lomfor avait repris connaissance peu de temps après avoir reçu le contre-poison. Il avait appris tout ce qui s'était déroulé et restait silencieux, la gorge serrée par la colère et la consternation. Comme les autres, il buvait les informations délivrées par la petite fille. Des cris de joie retentirent et après les derniers mots de Viq, le guerrier se surprit à pleurer de soulagement. Il se ressaisit rapidement.

– Si le monstre vient par là, il faut qu'on se dépêche de sortir d'ici !

– Mais... et les gardiens ?

Lomfor sourit.

– À mon avis, si la Bête débarque, ils vont déguerpir très vite.

Les sentinelles étaient visiblement nerveuses. Elles ne comprenaient pas pourquoi les prisonniers montraient subitement des signes de joie. À ce moment, les premiers Gobelins qui avaient assisté au combat surgirent dans le camp en vociférant. Ils passèrent devant les cages sans même s'arrêter, glissant et tombant parfois sur le sol détrempé.

– La Bête est libérée ! Alerte !

En un instant, la panique gagna tout le camp. Des cris d'inquiétude s'élevèrent parmi les détenus.

– Sortez-nous de là ! demandèrent-ils aux gardes.

Mais ceux-ci avaient déjà fui.

Les Voyageurs ne tardèrent pas à briser les montants en bois de leur prison. Lomfor et deux de ses compagnons coururent sous les tentes récupérer des armes. Les autres s'éparpillèrent pour libérer le reste des prisonniers.

Les Gobelins s'agitaient en tous sens, ramassant leurs affaires et les trésors qu'ils avaient volés. Comme aucun ordre ne leur était donné, ils s'épuisaient en de vains efforts, se bousculant, allant parfois jusqu'à se battre. L'obscurité, la pluie, le tonnerre et les éclairs rendaient leurs gestes hasardeux et confus. Aucun d'eux ne tenta de s'opposer aux fugitifs. Le bruit se répandit que le Troll était tout près et qu'il massacrait tout ce qui bougeait.

Lorsqu'il fut certain que les détenus, une centaine en tout, avaient été rassemblés sous la conduite des Voyageurs, Lomfor leur ordonna de quitter le camp et de marcher dans la forêt, vers l'Océan. Quand ils furent partis, il se dirigea vers la clairière du monstre. Il sentit soudain une présence derrière lui. C'était Brunhof.

— J'ai un compte à régler, lâcha le chevalier, un sourire mauvais aux lèvres.

— Ne fais pas l'idiot, Brunhof, personne ne peut te reprocher…

— Je ne parle pas de la Bête, Lomfor. Je veux le chef gobelin, Sorgûr, je crois que c'est ainsi qu'ils l'appellent.

Au ton du guerrier, Lomfor sut qu'il ne servirait à rien de le raisonner.

— Libre à toi, chevalier. Pense qu'Enethen…

— Je me moque de cette femme. Je veux juste la tête du Gobelin.

Lomfor regarda la silhouette de l'homme se perdre sous la pluie, dans la nuit. Il ne vit qu'au dernier moment le poing qui s'abattait sur lui. Le barbare recula, glissa et tomba par terre. L'attaque le manqua d'un cheveu. Lorsqu'il comprit que c'était Oklokl, Lomfor jura. Même s'il avait eu sa hache, il n'aurait rien pu faire face à une telle créature. Mais le Troll ne s'intéressa pas à lui plus longtemps. Il poursuivit son chemin, renversant les cages et les tentes. Il aperçut un Gobelin et fonça sur lui. L'autre glapit et s'enfuit. Ils disparurent tous deux de la vue de Lomfor.

Tessa arriva peu après, épuisée. Elle trébuchait à chaque pas. Elle vit son ami, sourit et s'effondra sur le sol. Lomfor la souleva, la prit dans ses bras et sortit du camp. Il suivait le chemin emprunté par les évadés lorsque Brunhof le rattrapa en courant, essoufflé.

– C'est fait, dit le chevalier avec une satisfaction morbide.

Ses yeux brillaient sinistrement et son épée était noire de sang.

Epilogue

— Tessa, tu viens ? On part !

— Allez-y, je vous rejoins…

Lomfor fronça les sourcils :

— Tu es sûre ? Tout va bien ?

— Mais oui, ne t'inquiète pas, répondit Tessa avec un petit rire joyeux.

Elle attendit que le barbare disparaisse. Puis elle se rendit sur la grande dune. Sans le savoir, elle s'assit sur la même branche du pin-pieuvre que Lomfor avait choisie lorsqu'il avait débarqué sur cette plage, dix jours auparavant.

Le vent, frais et soutenu, fit voler les cheveux de la princesse autour de son visage. Elle mit ses mains au-dessus de ses yeux pour se protéger de l'intense réverbération du soleil sur l'écume des vagues. L'Océan restait encore agité par les orages de ces derniers jours ; l'adolescente s'amusa quelques instants à s'évader dans les nuances grises et vertes de l'eau. Au-dessus, des nuages clairs et sombres se disputaient la possession du ciel.

Le regard de la jeune fille accrocha la proue noircie de *L'Ustripe*, la seule partie du navire qui émergeait des vagues. À l'horizon, un nouveau mur de pluie approchait. Oui, la saison de la Fine et de l'Onde touchait vraiment à sa fin.

Tessa poussa un soupir. Elle aurait bien voulu que les Joyeux Baladins rallient sa troupe. Ils s'étaient séparés dans la forêt, lors de cette terrible nuit où elle avait affronté le Troll. « N'y vois pas de méchanceté, mais nous préférons vivre sans adultes, suivre notre propre chemin, lui avait dit Timott avant d'ajouter très sérieusement : C'est plus rigolo, tu ne trouves pas ? » Ils étaient partis avec le reste des esclaves capturés par les Gobelins.

Aujourd'hui, le garçon lui manquait. La princesse avait passé peu de temps avec les enfants troubadours, mais elle avait maintenant l'impression de les connaître depuis toujours. Les deux frères, Luq et Eyott, lui avaient assuré avec un air mystérieux qu'ils se croiseraient certainement un jour sur les routes de ce vaste pays. Mais cela ne suffisait pas à Tessa ; c'était là, tout de suite, qu'elle avait besoin de leur « sérieuse bonne humeur ».

Elle ne se sentait pas mal avec les Voyageurs – après tout, ils étaient sa vie – mais tant de choses avaient changé depuis la première attaque des Gobelins... La mélancolie alourdit un peu le cœur de la jeune fille.

Bien sûr, elle avait toujours son grand ami, Lomfor, son « frère » comme elle l'avait appelé alors qu'il la transportait dans la forêt et qu'elle lui racontait en sanglotant ce qui s'était produit dans la clairière. Elle pouvait compter sur Ôk et Larania et sur tous les Voyageurs, qui avaient acclamé leur retour du camp gobelin en chantant et en riant. Tessa savait maintenant qu'elle était leur princesse. Les guerriers avaient consacré deux nuits entières à composer des chants sur ses exploits. Elle en était fière mais n'en retirait nulle gloire. Le seul fait de pouvoir se présenter devant eux sans avoir à rougir était largement suffisant.

Mais aucun des Voyageurs n'oublierait ce qui s'était passé : l'incendie du bateau, la mort des aigles et des guerriers, l'horreur des cages de bois... Brunhof était la preuve vivante de ce changement. Ce n'était plus le noble et naïf chevalier amoureux, mais un tout autre personnage, au comportement inquiétant. Il vivait à l'écart de la compagnie et ses seules paroles ne s'adressaient plus qu'à lui-même et à son épée. Ôk et Lomfor lui avaient longuement parlé, pour tenter de le rassurer, lui dire que sa place était toujours parmi les Voyageurs. Brunhof s'était contenté de répondre évasivement en affichant un petit sourire froid et lointain. Enethen, sur les conseils de Larania, était venue le voir : il ne l'avait même pas regardée. Tessa n'était pas la seule à s'être aperçue que depuis ce jour, la Haute Comtesse s'arrangeait le plus souvent pour être à portée de regard ou de voix du chevalier. Mais celui-ci ne paraissait pas la remarquer, entièrement concentré sur le maniement de son épée, qu'il ne quittait désormais plus.

Elmin, le druide aux yeux d'or, avait apporté un début d'explication à l'état du chevalier, qui n'avait rien de rassurant :

– Les Gobelins, et le Troll surtout, ont pris son âme. Il n'y a rien à faire, lui seul peut la retrouver.

Tessa sourit en pensant au jeune druide. Elle était heureuse qu'il les ait rejoints. Elle savait que Ôk et Larania se réjouissaient aussi de sa présence. Ses connaissances des plantes, le fait qu'il soit un habitant du pays… il serait un bon guide pour les Voyageurs. Oui, Tessa l'appréciait beaucoup. Grâce à lui, Lomfor était vivant aujourd'hui et… la princesse ne se l'avouait pas, mais elle aimait ses yeux d'or !

Le soleil s'était caché derrière un gros nuage et semblait ne jamais vouloir en sortir. La jeune fille frissonna et ramena un pan de sa cape sur ses épaules. Elle jeta un dernier regard aux cendres froides des feux et aux restes de caisses brisées, seules preuves de leur débarquement. Là-bas, la proue de *L'Ustripe* vacilla un instant et sous l'impact d'une vague plus forte que les autres, s'enfonça sous les eaux. Tessa n'avait plus rien à faire ici. Elle se leva, prit une poignée de sable qu'elle mit dans sa poche.

– Adieu, murmura-t-elle, et ses pensées sans tristesse s'élevèrent au-dessus de l'Océan, vers ses parents et les terres qu'elle ne reverrait plus jamais.

Puis elle s'en alla rejoindre la troupe des Voyageurs.

Ils avaient déjà entamé le long chemin qui, un jour, selon les vœux de Ôk, les conduirait sur les lieux d'une nouvelle vie, dans une ville qu'ils bâtiraient eux-mêmes. Ils chantaient des paroles d'espoir ; sa main placée dans celle de Lomfor, la jeune fille joignit sa voix au chœur.

Sur la plage, le vent et l'eau s'acharnaient déjà à effacer toute trace de leur passage.

L'auteuR

Emmanuel Viau est quelqu'un de très occupé. Lorsqu'il ne lit pas, il est journaliste à *Je Bouquine* et écrit des histoires pour la jeunesse. C'est en dévorant des récits fantastiques ou de science-fiction, et notamment les romans de Jules Verne et de Tolkien, qu'il a eu envie de faire des livres. À dix ans, il avait déjà composé sa première histoire : celle d'une pieuvre de l'espace qui attaquait un vaisseau d'explorateurs... Et quand Emmanuel Viau n'écrit pas, il invente toutes sortes de jeux : les jeux de société, les jeux de rôles, les jeux vidéo, il adore ! Sa dernière passion : la musique. Son rêve serait de jouer en concert sur la Lune, sur Mars ou même en dehors du système solaire...

Découvrez la suite des aventures de Tessa et Lomfor dans :

Le Lac des Sans-Âmes

La Forêt des Ombres

Dans *Le Lac des Sans-Âmes*, de nouveaux dangers menacent la vie des Voyageurs.
Voici le début de l'histoire…

Dans le silence et l'humidité de la terre, dans l'obscurité de la roche, il veille.

Qui peut dire son âge ? S'il est né, ce devait être sous les pâles lueurs d'étoiles étrangères à ce monde, quand celui-ci n'était encore que vapeur et gaz.

Son arrivée ici fut une deuxième naissance pour la région qui l'accueillit alors. L'impact de sa chute souffla les volcans alentour, modela le sol en montagnes et en vallées, déplaça le lit des cours d'eau et modifia le climat.

Affaibli, il s'enfouit dans la terre et dans une quasi somnolence, tandis que le monde grandissait, insouciant jusqu'à se remplir de vie.

Aujourd'hui, ce qui s'agite au-dessus de lui, rocs, herbe, êtres avec ou sans pattes, pluie et vent ne sont que rêves fugaces.

C'est aussi sa nourriture.

Vous pourrez lire également aux Éditions Fleurus :

Dans la collection
Les Enquêtes du *Samovar*

Le *Samovar*, c'est d'abord une boutique d'antiquités de la petite ville de Port d'Amar. Mais c'est aussi (et surtout !) le quartier général d'une fine équipe de détectives : Lou, son copain Stan, le pro de l'informatique, et son oncle Constantin (un ancien capitaine de police), y dénouent toutes les intrigues. Meurtre, vol, disparition ? Les enquêteurs du *Samovar* sont à votre service...

Meurtre au Majestic

Raoul Vauthier, riche archéologue arrogant, vient à Port d'Amar pour y donner une conférence. Peu après son arrivée, il est découvert sans vie dans le bar de l'hôtel *Majestic*. Mort accidentelle ou assassinat ? Sept personnes étaient présentes dans la salle à l'heure du crime. L'une d'elles avait-elle intérêt à faire disparaître Vauthier ? Le *Samovar* enquête...

Eaux mortelles

Le tout récent centre de recherches sur la vie sous-marine de la Pointe du Perroquet est en deuil : sa fondatrice, la richissime Félicité Stapelton, a perdu la vie lors d'une sortie en mer. Une fausse manœuvre de navigation serait à l'origine du drame. Pourtant, dans l'esprit de Lou, Stanislas et Constantin, le doute subsiste : et si Félicité avait été assassinée ?…

L'Affaire Cornelius

Un vieux comédien en retraite rêve de remonter sur les planches, le temps d'un été. Il réunit tous les membres de sa famille dans son château près de Port d'Amar, pour les faire jouer dans une pièce où il a le premier rôle, celui d'un personnage qui se suicide au dernier acte. Pendant une répétition de la scène finale, l'acteur s'effondre… et il ne joue pas la comédie !

La collection Z'azimut

Autour d'une même passion, six histoires courtes à dévorer !

Pour multiplier les plaisirs de lecture, chaque récit est écrit sur un mode narratif différent. Six genres sont rassemblés dans un même titre : humour, sentiments, policier, histoire vécue ou fait divers, frissons ou fantastique et science-fiction.

1. Archéologie
2. Sports de mer
3. Équitation
4. Danse (tome 1)
5. Chevaliers
6. Pirates
7. Vétérinaires
8. Détectives
9. Football
10. Cape et épée
11. Préhistoire
12. Sauvetage
13. Cinéma
14. Voile
15. Reporters
16. Égypte
17. Musique

Direction éditoriale : Christophe Savouré
Direction artistique : Danielle Capellazzi

© 2003 Groupe Fleurus
Dépôt légal : septembre 2003
ISBN : 2 215 05229-5

Composition : Express Compo
Achevé d'imprimer en août 2003
sur les presses de l'imprimerie Rotolito en Italie
N° d'édition : 93497
Loi n° 49-956 du 16 juillet 1949 sur les publications
destinées à la jeunesse.